ВАТРА И НИШТА

FIRE AND NOTHING

12/29/10

To Kevin & Annette Fitzpatrick
with best wishes from
Milo Yelesiyevich

ВАТРА И НИШТА

Бранко Миљковић

FIRE AND NOTHING

Branko Miljković

A BI-LINGUAL EDITION

Translated by Milo Yelesiyevich
with the assistance of Miloš Lužanin

THE SERBIAN CLASSICS PRESS
New York, New York

Fire and Nothing
First published in 1960 as *Vatra i Ništa* (Ватра и Ништа). English translation copyright © 2010 by The Serbian Classics Press with permission from The Estate of Branko Miljković.

First Printing 2010

The Serbian Classics Press
UPS Store #1052
PMB 199, Zeckendorf Towers
111 E. 14th Street
New York, NY 10003
e-mail: serbian_classics@yahoo.com
website: www.serbianclassics.com

ISBN: 978-0-9678893-5-1

Library of Congress Catalog Card Number: 2008900124

THIS FIRST AMERICAN BI-LINGUAL EDITION
COMMEMORATES THE FIFTIETH ANNIVERSARY
OF THE ORIGINAL PUBLICATION OF
"FIRE AND NOTHING" IN 1960.

Printed in the United States of America by Thomson-Shore, Inc.

GUIDE TO PRONUNCIATION

Serbian is strictly phonetic. The English-speaking reader will not stray far from the mark if he or she uses broad European vowels and English consonants in pronouncing Serbian, with the following exceptions.

c	is always *ts* as in ha*ts*.
ć and č	are pronounced like *ch* as in *ch*urch. The former is soft, and the latter hard, which is too subtle for the English ear to distinguish.
đ and dž	are pronounced like the *j* in *j*udge. Once again, the former is soft, and the latter hard.
j	is always pronounced like the *y* in *y*ellow.
š	is always *sh* as in *sh*arp.
r	strongly rolled, is sometimes a vowel, e.g. G*r*k, a Greek.
ž	is always pronounced like the *s* in mea*s*ure.

CONTENTS

TRANSLATOR'S INTRODUCTION[1]

Уби ме прејака реч.
I'm slain by a word too strong.

Branko Miljković, one of the greatest Serbian lyric poets of the mid-twentieth century, remains an enigma fifty years after his death. He was born in 1934 near Niš in southern Serbia. His genius, recognized at an early age, matured to write poetry that restored magic and mystery to the world. He cast a spell with the simplest words, created the great drama of 'being, fire, and nothingness,' and invested his verse with unfathomable majesty.

Miljković referred to himself as a Neo-Symbolist, and continued where his mentors left off. Mallarmé, the poet to whom he felt the closest affinity, longed to put the entire world into a single volume of poetry: "L'Œuvre, Le Grande Œuvre, comme disaient les alchimistes, nos ancêtres." Since

---

1. This introduction is based in part on material drawn from Petar Džadžić's *Бранко Миљковић или неукротива реч: издање поводом 60 годишњица песниковог рођења*, *Просвета/Ниш*, 1994 (first published in 1965); Milan Komnenić's introduction to *Бранко Миљковић: Сабрана Дела*, *"Градина" Ниш*, 1972; Staniša Veličković's *Psihologija danas, Interpretacije iz književnosti IV*; and the Afterword of *Éloge de feu, par Branko Miljković: poémes choisies et postface par Jezdimir Radunović, traduit du serbe par Zorica Terzić*, Transition: Paris, 1998.

Mallarmé's *Le Grand Œuvre* remained unrealized, Milj-ković, supremely confident of his vocation, worked with the patience of an alchemist to create "l'explication orphique de la Terre, qui est le seul devoir du poete et le jeu litteraire par excellence" that Mallarmé had envisioned.

Symbolism and Surrealism had both disappointed Miljković because he believed an important task had been left undone. He prepared to explore *terra incognita* by synthesizing the two movements, a mad attempt to create a poetic microcosm of the universe by tackling metaphysical themes with concrete imagery, paradox, intuition, and prophetic language.

Miljković did succeed in restoring poetry to the center of communicative discourse. His verse quickly entered the national consciousness, as if his simple, startling words had always existed at the end of the rainbow, but had only just now been spoken for the first time.

In January 1961, at the age of twenty-seven, he renounced his poetry. A few weeks later, he was found dead on the outskirts of Zagreb.

* * *

The origin of *Fire and Nothing* can be traced to Miljković's childhood. Niš, which created his first impressions of life and the world, retains to this day a strong Levantine character. Just outside the city lies a perverse and sadistic monument: the Tower of Skulls (*Čele kula*). Stevan Sinđelić (?–1809), a hero of the First Serbian Uprising, contributed his own skull along with many others to this monstrosity. Sinđelić offered fierce resistance to Ottoman troops at Čegar; seeing, however, that he was outnumbered and could not defend his position, Sinđelić set fire to his stores of gunpowder and detonated it, killing himself and his fellow soldiers along with a great number of the enemy. The Turks retaliated by erecting the Tower of Skulls on the site, which incorporated the skulls of the fallen Serbian soldiers into the brickwork as a warning against further uprisings. This tower, where time and death intersect, where grinning skulls face eternity from a wall, planted the idea of abiding nonexistence in Miljković's mind.

The advent of World War II and the Nazi invasion brought its own host of atrocities. Miljković was eight years old when he witnessed the murder of two of his schoolmates, the Tasković brothers, by Bulgarian Fascists. This trauma awakened in him vivid and premature questions of life and death.

Not long afterward, upon hearing the news that the Nazis had hanged Partisans and Communists in the town square, Miljković and his friend Vidosav Petrović snuck out to see the hanged men. The Nazis had erected in the Niš town square an enormous mural of a world map with arrows indicating battlegrounds where the Axis powers were making significant breakthroughs. Loudspeakers blared the news of Hitler's latest victories. Then:

> *Our eyes stopped on the hanged men, swaying from lamp posts in the wind. We halted, and did not enter the square. We didn't dare to.*[2]

Later, Allied forces, led by American bombers that were purportedly liberating Serbia, frequently bombed Niš and Leškovac in 1944, much to the bewilderment of its residents. Years afterward, it became clear that the Allies were bombing Serbia in order to facilitate Tito's Communist invasion.

> *[T]he planes on the other side of town were continually bombing the railway station, the factories, and the airport. We listened to the strange conversations the older folks had, which were still unintelligible to us:* It's good — they said — the Allies have begun their operations. Thataway, just let them fight, and everything will turn out fine.... *But, when we returned to our homes, we saw what had happened: ambulances were taking the injured to the hospital. Our people.*

---

2. *Pesnikov uzlet: drugo, dopunjeno izdanje*, Vidosav Petrović, Prosveta/Niš: Niš, 1993.

We heard that many had died, and Branko was
asking — What good is there in it?
He was asking the question even while bombs
were falling on the cathedral church and on our
school, Sveti Sava; we watched the building flash
like sunlight; and in no time at all, the church
vanished in a cloud of smoke. We were listening
to people saying over and over — This is no
good! No good at all! Not the church...?![3]

Petrović also describes the Allied air attack on Good Friday, 1944, when his family sought refuge under a walnut tree on the outskirts of Niš with the young Miljković and his family:

We heard the sound of airplanes coming from
the south. And soon we saw squadrons high in
the air. Right above our heads.
They're going to Ploesti — *said the older*
folks. They're not going to bomb Niš today.
They showered us with bombs during a frontal
aerial attack, and they killed many people.
Our lovely and charming neighbor, Ruža, was
also killed. She suffered twenty different wounds.
She was in a deep coma, so they took her to the
hospital.
The next day, Branko's parents and mine gave
us the bad news after they returned from the
hospital: She's not waking up. *And so the following days.*
And Ruža, so close and dear to us, died.[4]

After the war, Miljković returned to school and continued his voracious reading. He began composing observations and notes at the age of fourteen. He published his first poems in local literary magazines by the time he was seventeen.

As soon as Miljković discovered he was a poet, he sought guidance in the life and work of other poets. His temperament led him to French and Russian poets, whom he trans-

---

3. *Ibid.*
4. *Ibid.*

xiv

lated into Serbian: Rimbaud, Mallarmé, Eluard, and Valery; Mayakovsky, Blok, Mandelstam, and Briusov.

In 1953, he enrolled at the University of Belgrade where he studied philosophy. There he developed his *persona* and distinctive style of dress: a black overcoat, a black tie over a white shirt, and a wide-brimmed fedora that he slanted over his eyes. He quickly became known as a formidable conversationalist of far-ranging knowledge and unpredictable repartee.

His first collection of poetry, *I Wake Her in Vain* (*Узалуд je будим*, Omladina: Belgrade, 1957), harkened back to the death of Ruža, his neighbor and childhood playmate, thirteen years earlier. He also included a poem about the Tower of Skulls. It was an impossibly brilliant work for a twenty-three-year-old. His voice is original and he fills these poems with complex emotion that is wrenched from apparently simple language.

Subjective tragedy is the driving force that sustains *I Wake Her in Vain*. These poems inherit the nightmare of death, absence, and Pascal's *frisson métaphysique* (the "eternal silence of infinite space fills me with dread"). Deeply aware of the ephemeral nature of life, he sought elements that survive the depredations of time: memory and forgetting, fire and stone, the dream, the castle, the wall, the bird, the flower, the night, being, petrified waves, death, subterraneity. He discovers that poetry is the sanctuary of being (ὄντος).

Miljković then embarked on a most ambitious undertaking in which he triangulated himself, the Poet, with the magic of poetry on the one hand, and the magic of death on the other, in order to treat poetry itself as a mythic subject. With the publication of *Fire and Nothing* in 1960, Miljković became the youngest recipient ever to be awarded the October Prize, the highest honor that could be conferred on a Serbian poet, and thus joined the ranks of major poets.

During the seven years he wrote poetry, the expansive power of intuitive and speculative inquiry urged him on. But on January 27, 1961, Miljković perceived that his *oeuvre* had turned against him, and that he had become superfluous. He then committed the unprecedented and irrevocable act of publicly renouncing his poetry in a one-hundred word statement published in *Duga*, the principal literary journal of the time, on February 5, 1961. "I want it publicly known that I have freed myself from my scribbling of these last few years." He listed his published collections of poetry, and added parenthetically after *Fire and Nothing*, "I am sorry that I am not able to return the prize." He soon left Belgrade for Zagreb. It begs the question whether it was bad temper, depression, or his inclination for self-destructive behavior in public places that motivated Miljković to withdraw from life. A rumor spread through Belgrade that he was acting foolishly because of unrequited love. He alluded to this in a letter to Peter Džadžić, in which he said, "I am afraid to speak, to write. Each word is able to kill me." On the morning of February 12, 1961, he was found hanged in a park on the outskirts of Zagreb by a group of children who were on their way to Sunday school. The Croatian police judged his death to be a suicide.

The tree from which Miljković had allegedly hanged himself was a sapling, no thicker than a man's arm. Furthermore, he was found in a kneeling position beneath it, the rope slack around his neck. His parents, who had washed his body in preparation for burial, claimed that Branko had been beaten because they found bruises on his back and chest. Forensic evidence strongly suggests he had been strangled elsewhere, and his body, disguised by a noose around his neck, had been left by the murderer or murderers beneath the sapling.

* * *

Miljković's obsessions found fruition in *Fire and Nothing*, which assigns everything that exists to an endless dream illuminated by eternal fire that fades into warm ashes only to once again blaze, a *perpetuum mobile* of coming into being and vanishing from being. To this end, Miljković attempts to create a poem without a determined subject, which flickers briefly, then vanishes, because poetry "is not an inventor of things that already exist and have no need to be created a second time."[5] The subject must not be named, for, as Mal-

---

5. 'Poezija i oblik,' *Mlada kultura*, Belgrade, May 9, 1957.

larmé says: "Naming the subject means removing three-quarters of the pleasure from a poem."[6]

Fire and Nothing is divided into six cycles that develop themes of the poet and his relation to poetry: the origin of the world, the conflict of opposing forces, the Heraclitean elements, death, and rebirth. Set in opposition to the visible, material world, which is *nothing*, Miljković imagines a fiery intelligence: it is a subject that creates its own universe. Fire is at once existential and cosmic; it creates and destroys. Everything that exists, in the end, exits according to the dictates of this eternal drama.

* * *

Petar Džadžić pointed out in his classic study that Miljković was a poet-philosopher who discovered "the great Being" of fire, which was "capable of creating an entire dictionary out of itself." Through his reliance on the philosophy of Heraclitus, Miljković created "suprapersonal" poetry in which the drama of the elements and life's universalities converge, where ancient cosmology mingles freely with twentieth-century philosophy.

Miljković is first and foremost a meditative poet. In his work there are no women, there is no Eros. He finds his inspiration in the untamed energy of "true death" and the danger that had to be overcome to compose poetry. Poetry is for Miljković the tangible landscape of death that brings him face to face with being and non-being. Poetry fills the emptiness. The poem is everything: the poem is life, and one lives for the poem. Things are taken from the poem, but the poet gives everything to it. The poem is a story, but it is a secret. The poet's lever of power is *forgetting*, which enables him "to get a look at things in their own proper signification, in their innocence." Without poetry, the world would be much emptier and more senseless than it already is, yet the poet's constant effort to reach the limits of thought and poetry result in contradiction and discord.

---

6. Stéphane Mallarmé, *Sur l'évolution littéraire, Oeuvres complètes*, Bibliothèque de la Pléiade, 1945, p. 869.

Miljković's objective poetry is where "emptiness and danger sing." The poem has the power to instill fear, which serves as an antidote to panic and acts as a danger signal. Yet a match struck to signal imminent danger may just as well set off a conflagration. Ancient magicians discovered that whatever may be named may also be conquered by magic. By composing a poem about a bird, the poem becomes a bird. By "the identification of being and word," Miljković bravely steps out of himself and takes a good look at the lair of the indomitable word, Death, which lurks in the mysterious epitaph he wrote for himself: *I'm slain by a word too strong.*

All poets have taken up the subject of death: some exhibit a sober or mystic inclination to understand, domesticate or accustom themselves to death, while others wish to avoid death through literary immortality. Miljković, however, understands the poet as a relative being who participates in his own imaginary world to the utmost limits. This gives him an opportunity to outsmart death: *I am not in my self but am instead in everything that surrounds me, to which I adapt through the power of words.* Thus, the weapon of choice in such a duel with death is the poem in which the poet magically renounces his suffering by casting a spell: "Here is a poem to suffer in my place!"

The elusiveness and hermetic nature of Miljković's poetry is striking. "Things and words must be deprived of their certainty and defined security in order to begin to sing," because the idea of the free word, the free poem, and the free poet are fundamental to his verse. In one of his essays, he writes that "poetry knows secrets, but it never tells them," and he was convinced that "poetry is truthful by not saying it" and that "a poem does not declare the truth; it feels its intimation."

Miljković strove to revert the creative act on itself, to preoccupy the individual poem with itself in order to investigate its own proper intentions and goals. In this way, the poem is not an ordinary companion of life and reality, an expression of the poet's desires. "The poem must say *I ex-*

ist," but not "*the subject of my poem exists.*"[7] This is how he began his quest for the ontological proof of poetry's existence.

Poetry exists outside of the written word; the word's *čarolija* (magic spell) and *čaranje* (the casting of a spell) conjure before us the inarticulate material of dream, vision, and intuition in order to purge us of fear. Enchantment reveals danger and hinges upon it, but it also possesses the power to conquer, domesticate, and tame danger.

Miljković also understood that the problem of the new is not solved by novelty of form. "Didn't Baudelaire, Mallarmé, Verlaine, Rambaud, Valèry, and Rilke discover the new in a much greater degree in their sonnets and strictly refined poems than did, for example, Tristan Tzara and Breton, who wanted the impossible?"[8]

* * *

Serbian has a wonderful word for the translation of a song or a poem: *prepev*. It literally means *re-singing* or *singing over again*. It dismisses the idea of translation in favor of re-creating a poem in a new language. Thus, this English version resulted from imagining how these poems might have been conceived if Miljković had written in English. This is, of course, an untenable supposition because these poems could only have been written in Serbian. Yet I find it preferable to follow a paradox than a set of rules.

Three of Miljković's essays on poetry (*Poetry and Ontology*, *The Hermetic Poem* and *Poetry and Truth*) have been appended to this volume as a *vade mecum*. They provide the reader with clues to the metaphysical and metapoetic nature of Miljković's complex discourse. Not only do these essays provide the wherewithal for a closer reading of his poems, but they also cast his ideas about the magic of poetry and the myth of the poem into accessible prose.

Branko Miljković is as difficult to translate as Rimbaud, Baudelaire or Rilke. William H. Crosby's translations of Baudelaire's *Les Fleurs du Mal* established my criteria. I was

---

7. 'Orfejsko zaveštanje Alena Bloskea,' *Delo*, Belgrade, July 1960.
8. 'Poezija i oblik,' *Mlada kultura*, Belgrade, May 9, 1957.

also fortunate to be able to read Miljković's Serbian transla-
tions of French Symbolist and Surrealist poets, which I was
able to compare to their originals. There I found confirmation
that I had allowed myself the same degree of freedom that he
as well as Crosby had taken. The originals are printed *en face*,
comme il faut. The text of *Fire and Nothing* was taken from
the posthumous four-volume edition of Miljković's edition of
his complete works (*Сабрана дела Бранко Миљковић*,
Градина: Ниш, 1972).

Miljković uses half rhymes and changes a fixed rhyme
scheme from time to time, but this English version does so
more often. Miljković uses key words as leitmotifs, at the
core of which is the Heraclitean order of the world: fire, wa-
ter, earth, air; and then nothingness, emptiness, night, day,
flower, rot, plant, earth, bird, sun, poem, star, oblivion, mem-
ory. I have made every effort to retain a word-for-word cor-
respondence in these instances.

I would not have succeeded in this undertaking without the
assistance of Miloš Lužanin, who read these poems with me
and criticized my renditions word for word, line by line, poem
by poem. He pointed out many things that had eluded me, and
deepened my understanding of these poems immeasurably. I
also wish to thank Eric Mathern, who was kind enough to
provide his comments on *Consciousness of the Poem*, *The
Angel of Arilje*, and *The Wild Drake of Golden Wing*.

It is earnestly hoped that this effort has resulted in an
English version that captures the vitality of Miljković's
voice and his dynamic range, as well as its power to 'cast a
spell' and return poetry to the center of human discourse.

Miljković did not use the creative act to mystify but to
elucidate by restoring to symbols their liaison with the mys-
teries of the world, including the mysteries of poetry. The
Angel of Arilje, Ravijolja, Gojkovica, Dojčin the Invalid, the
troubadours of Ohrid, the miraculous plant *raskovnik*, the
shepherd's flute, herbs, the sun, the stars, the forest, the
flower, the bird, the four elements — all these define the
power and nature of the word and poem.

Milo Yelesiyevich
New York City, 2009

Пепео није настао из ватре већ из нашег
додира са њом и дели нашу природу.
Петру Џаџићу

Ashes did not come into being from fire
but from our contact with it and it shares our nature.
to Peter Džadžić

Свест о песми

Алену Боскеу

Consciousness of the Poem*

To Alain Bosquet

Мене ничега више није стид.
Клону сунце преко света. Жељен плод
пун је ноћи. Глас, што себе сања, зид
откри у даљини где зазидан ми брод.

У том зиду чувам своју гордост, певам
из те зазиданости лепше но на слободи.
Откуд та моћ да себи одолевам,
а не одолеше виногради родни!

Је ли то чудна жеља да се живи
без себе? Жеља за песмом без песника?
Од прошлости и заборава време што се диви
издајству мога заустављеног лика?

Да ли то значи рећи промени: нећу!
И оставити песму да се сама мења?
Поклонити себе животињама и цвећу
и снагу своју дати глади црног корења?

У овој ноћи мене није стид
што певам из зида лепше но на слободи.
Сунце ми у пети бриди. Блешти зид
на крају пута што никуд не води.

I'm not ashamed of anything anymore.
The sun has set on the world. The desired fruit will erupt
With night. A voice dreaming of itself finds treasure,
A distant wall where my ship has been bricked up.

I guard my pride in that wall, I sing
More beautifully — than I do free — immured.
Where do *I* get the strength to resist my being,
When vines cannot resist, nor the fertile vineyard!

To live without the self: a strange desire?
To want a poem without a poet? Time,
From the oblivious past, does it admire
The betrayal of my thwarted design?

Does that mean saying to change: *Not for
Me*? And let the poem change itself? Furthermore
To dedicate myself to beast and flower
And lend my strength to black roots' hunger?

I'm not ashamed to sing behind a wall
Better in such night than free elsewhere.
The sun stings my heel. The blazing wall
At the end of the road — it leads nowhere.

Реч ватра! Ја сам рекао хвала што живим
Тој речи чију поседујем моћ да је кажем.
Њен пепео је заборав. Ако пред том речи скривим
под челом ми поледица и дан поражен.

Реч крв! најлепша реч која се не сме.
А колико птица и звери у крви мојој преноћи!
Можда изван мога срца и нема песме,
Јер крв је ванвремена мастило без моћи.

Реч жудња! једина још смисао не нађе;
И птица у паклу кроз тужну ми главу.
О горко море за моје беле лађе
Кроз исписани предео и вербалну јаву!

Реч смрт! хвала јој што ме не спречава
Да отпутујем у себе ко у непознато,
Где ако не нађем себе и смисао што спасава
Наћи ћу свога двојника и његово злато.

Реч ватра! ја сам јој рекао хвала што живим,
Реч смрт! хвала јој што ме још не пречи
Да волим самог себе и да се дивим
Својој људској моћи да изговарам речи.

The word fire! Thanks to this word I am alive
Whose power I possess to say it aloud.
Its ashes are oblivion. If I miss my stride
Before that word, may days of loss strike my brow.

The word blood! The most beautiful word must not.
My blood puts birds and beasts up for the night!
Perhaps there is no song beyond my heart
Because blood is beyond time, ink without might.

The word desire! It just hasn't found its meaning;
And the bird of hell in my gloomy brain.
O bitter seas for my white fleet, sailing
Through verbal reality and written-out main!

The word death! I'm grateful it did not hold
Up my departure for the unknown — myself —
Where, if I don't find the rescuing thought or myself,
I will instead find my double and his gold.

The word fire! For my being alive, I thanked this word.
The word death! Thanks! It did not prevent
Me from loving myself and feeling astonishment
With my human power to utter words.

Верујем, да бих могао да говорим,
Да изађем из себе с надом на повратак,
Макар кроз пустињу до места где горим,
Макар кроз смрт до истинских врата.

У погрешном распореду речи утешно време
Можда ћу наћи. Или ћу открити
Како је бесцињно љубим ко киша, као време,
Ко онај што мења речи а не свет скровити.

Верујем, мада без наде уђи мора
У ноћ, у заборав кроз који се простирем,
Та песма без завичаја, та птица без гора,
Да смрт своју не издам, да живим док умирем.

Онај ко пева не зна је ли то љубав
Или смрт. Када мирис помери цвет,
Где је цвет, да л тамо где мирише са руба
Цвета пуног а празног, ил тамо где му је цвет?

Свака је песма празна и звездана,
Ни бол ни љубав не може да је замени,
Она је све што ми оста од неповратног дана,
Празнина што пева и мир мој румени.

Песмо празна и звездана, тамо,
Твој цвет ми срце слаже, кроз крв шета,
Ако га уберем оставља ме самог,
Ако га напустим за леђима ми цвета.

1957.

28

I believe that if I could utter words,
I would escape myself, yet hope to return
Through the wasteland to the place where I burn,
Even through death to reach the true doors.

Perhaps I will find a time of consolation
In mismatched words. Or else I'll learn
That I kiss her aimlessly, like time, like rain,
Like changing words but not the hidden world.

I believe, though we must go into the night bereft
Of hope, into the oblivion I'm penetrating,
That song with no homeland, that bird with no forest,
I won't betray my death; I'll live while dying.

A singer doesn't know if it's love or its friend,
Death. When fragrance awakens a flower,
Where is the flower? Is it the fragrant end
Of a full yet empty world or is it the flower?

Every poem is an empty, starlit form,
Which neither pain nor love can replace,
All that's left of a day that will never return,
Emptiness that sings, coloring my peace.

Empty, starlit poem, your blossom
Lies to my heart, walks through blood,
And if I pluck it, leaves me for good,
And if I turn my back, it will blossom.

1957

29

АРИЉСИ АНЂЕО

THE ANGEL OF ARILJE*

О АНЂЕЛУ НА ЗИДУ

I

Заузме своје место између седам звезда када престаје ватра и збивање и почиње чиста кристализација подарена у смиравању. Анђео усам-љен на зиду, можда он стварно постоји у зиду, али када није на зиду, он је сен. У својој првобитној озбиљности смањује видљивост неким стварима. Тада почиње лутање, осетим да се мења структура мојих чула и да уместо чела имам једну једину мисао. Не постоји тријумф изван несреће. Док смо то сазнали неприметно смо заменили себе. Тако смо стварно претворили у мит, да доцније посумњамо у њега. Али један песник који је дуго стајао испод зида у који је било немогуће посумњати, ваљда због његовог горког укуса и тврдоће, препознао је своје лице безброј пута сељено на једном српском средњовековном анђелу. Онда он стварно постоји између елемента и односа који поравнавају свет, постоји у чистој могућности као чудо и верност силама које су иза зида.

II

То могу да објасне само воде које не теку, тај мирни лик када престаје ватра и збивање и почиње кристализација. И мада је супстанција тих звезда око главе нематеријална, оне припадају човековом простору. Али то лице остаје најбољи доказ зеленога сунца и виђених шкорпија. Иза тога лица нечија крв чека да буде рођена и она ће препознати то лице. У срцу се пали светлост која обећава да ће све бити

THE ANGEL ON THE WALL

I

He takes his place among seven stars when fire and action cease, and the pure crystallization granted to all things that come to rest begins. The lone Angel on the wall perhaps really does exist in the wall, but when he is not on the wall he is an apparition. He diminishes the visibility of certain things by virtue of his primeval *gravitas*. Then the wandering begins; I feel the structure of my senses change and I have but one single thought instead of a forehead. No triumph exists outside of misfortune. We have changed imperceptibly by the time we find that out. That is how we transform real events into myth, so we can doubt them later. But one poet, who stood for a long time at the foot of a wall at which it was impossible to doubt, perhaps because of its bitter taste and hardness, recognized his own features that had migrated many a time to a single medieval Serbian angel. Then he really does exist amid elements and relations that level the world; he exists in the realm of pure possibility like a miracle and faith in the powers beyond the wall.

II

Only waters that do not flow can clarify that tranquil face when fire and action end and crystallization begins. And even though the substance of the stars surrounding his head is immaterial, it belongs to the human sphere. But that face remains convincing proof of a green sun and scorpions that have been seen. Someone's blood is waiting to be born behind that face, and the blood will recognize that face. A light is kindled in the heart, promising that all things will be

33

виђено и сагледано у сећању и будућности и у себи самом. Дотле треба сачувати своје очи које гледају са некога зида и чувати се ослепљења и заслепљења. Нисам први који се плашим да не ослепим забринут за дубину свога ока кад гледам у језеро или у простор. А ништа није теже него гледати читаву вечност са неког зида. И највише нам притом недостаје празнина где не струји крв и где би сместили своје представе о евентуалном божанству. Ипак ништа није изгубљено, јер празнина је то чега нема. Али има нешто око његове главе што је чиста лепота и непревазиђена врлина, а слично је празнини.

III

Овај конкретни Анђео, осветљен сам собом изнутра, да је у пустињи рекао би: шта ће ми нада ако не да сачувам ову пустињу. Да сиђе са зида, рекао би: ово је предео који продужује љубав.

1957.

34

seen and realized in the memory, in the future, and within the self. By then, one's eyes, which look down from the wall, must be protected from blindness as well as unawareness. I am not the first to fear that I shall go blind, being so concerned about the depth of my eye when I gaze into a lake or into space. But nothing is harder than looking at eternity from a wall. And most of all we miss the emptiness where blood does not flow and where we would place our ideas about eventual divinity. Yet nothing is lost because emptiness is that which is not. But there is something surrounding his head which is pure beauty and virtue unsurpassed but identical to the emptiness.

III

If this concrete Angel, illuminated from within, were in a wasteland, he would say: Why do I need hope if not to protect this wasteland? If he were to come down from the wall, he would say: This is a region that prolongs love.

1957

АРИЉСКИ АНЂЕО

Анђеле горки празнине и снаге,
Кад указа се сунце какав није
Свет, где невољен јаче ћу волети драге,
Док плод посејан у паклу на небу несазрије.
Ако намере добре срце воћу
Подари, каквом ватром вођени иду,
Док пчела ставља жаоку у слаткоћу
За смисао лета на искусном зиду.

О, опија ме ватра тако трезна
Око твоје главе ко пролеће!
Ко тебе није видео тај не зна
Себе, ко тебе не виде тај неће
Никуда стићи, јер бескрајан је пут.
Гле месец блиски изнад рујног цвета
Доби облик српа: лепота је смрт
Где врлина откри могућност узлета.

Непомичан си, зато те не могу стићи;
Тако близу мене други ваздух дишеш
Док силазак у дубину обећава све више
Звезда на коју треба се тек навићи.
Дивно празноверје што измишљаш крила
Ослепљеном ваздуху у тој сажетости,
Твоја је младост пре свих младости била
И остала на зиду ко слика милости.

О сретна младост која проћи неће!
Да би био разумљив срцу оста
Млад у издвојеном дану који поста
Светлост што ме мири са вечним пролећем.

THE ANGEL OF ARILJE

O bitter Angel of emptiness and power,
When the sun decrees what the world is not, even
Where unloved I'll love those dear to me more
Til the seed sown in hell unripens in heaven.
If the heart is granted fruit by *bona fides*,
What fire leads those who heed the call,
While a bee plants its stinger into sweetness
For the meaning of summer on an experienced wall.

O, the fires surrounding your head glow
And soberly intoxicate me like spring dew!
Whoever has not seen you does not know
Himself; whosoever has not seen you
Will never get anywhere; the journey is endless.
Behold, the moon above a flower bent
Takes the shape of a scythe: beauty is death
Where virtue has found possible ascent.

I can't catch up to you; you're motionless;
You breathe different air, though so close to
Me, while descent into the depths is a promise
Of more stars, which takes getting used to.
O splendid superstition that devises wings
For blind air, compact, concise,
Your youth, over all youth presiding,
Remains on the wall, a portrait of grace.

O happy youth, which is never ending!
To be known by the heart, it must remain
Young, set apart in a day that became
The light that soothes me with eternal spring.

Прах ружама такнут до мириса се вину
На звезданој промаји где ми дан одшкрину
Ватру, ватру, слепо то обожавање
Елемената, које сагоре сопствену
Будућност и сунце претвори у сену
Небескога биља пред мрачно свитање.

Ти ме згушњаваш на месту где падох,
Иза последње мисли последња надо!
Твоја чула себе ослушкују, своју
Нестварност, своју бескрајну успомену;
Твоја празнина свет и звезде крену
У чудно поимање твог духа у Броју.

Сричем фосил твога имена у суши
Вере и лажног раста лажној души,
Јер и да те нема, празнина у којој
Замишљамо те, ипак, никад не би
Престала да нас опија, у себи
Увек друга превареној сржи мојој.

Да ниси анђео кога страх мој кроти
Чудовиште би било у својој лепоти
Чије порекло у мојој је жељи
Да уништен будем тамо где постаје
Моја немоћ моја снага која даје
Истину речима у лажној повељи.

Због твоје надмоћи остах пуст и сам,
Што сних заборавих, па ме проже плам,
Док на крају твог имена букти баршун
Птице што прелете свет уназад варав
До мириса руже у камену. Бар шум
Насликане гране да помери нарав

Dust, its fragrance touched by roses, rides
A star-wind, whereby my day unhides
Fire, fire, the blind worship and rite
Of elements that incinerate their own future
And turn the sun into a mere specter
Of heavenly plants before dark, glimmering light.

You crystallized me where I fell, a slope
Behind the last thought, the last hope!
Your senses eavesdrop on your mind,
Your unreality, your infinite power to remember;
Your emptiness moves stars and earth in line
With a strange grasp of your spirit in Number.

I sound out your fossilized name in a drought
Of faith and a false soul's false growth,
For even if you did not exist, thus
We have imagined you in emptiness
That would never stop intoxicating us,
Always second to my betrayed essence.

If you were not an angel tamed by my fear
Your beauty would make you a monster
Whose origin is found in my desire
To be annihilated where my impotence
Becomes my strength that grants
Truth to words in a false charter.

I'm sad and alone because of your superiority,
Whatever I dreamt, I forgot, so flames invade me
Until blazing after your name a velvet bird
Flies the deceitful world backward
To the fragrance of roses in stone. If only the murmur
Of an artist's painted branch moved the nature

Биља! Како да те сачувам од туђих
Мисли у мени, док бивам све луђи,
За вредну горчину, шупље двојство лика,
Чији је раст одјек будућности празне,
Што податно тражи начине пролазне
Да бујалост своју непролазно слика.

Још мало и заћутаћу пред тобом,
Док бдиш оноцветно над испражњеним гробом,
Анђеле пред неумољивом лепотом краја
Где је мир и зрелост песму заменила,
И мрамор где мрмор вечне воде спаја
Са каменом коме израстају крила.

Све што постоји тежи нејасности,
Галеб опонаша литице плахости,
Што вртлог одрази само вртлог бива;
Има ли доказа лепоте померене
Чулом у небиће које заодене
Обликом бекства стварност што се скрива?

Ох наше срце ког достојни нисмо
Ни онда када најмудрији ми смо,
Док будни пред оним што нас сном превлада
Не завапимо: милости! То пслуд
Некорисног пада на невиност белу
Цвета трезног чије име поста нада.

О анђеле благи упркос својој моћи,
Ил управо због ње, ватро са својом ноћи,
Како се зби дивно да биће ти избегне
Место које би изван тебе било,
Јер забуном све се збило што се збило
А сјај који касни најдубље досегне.

Of plants! How can I shield you from foreign
Thoughts within me, as I grow more insane
For worthy bitterness, appearances' hollow duality,
Whose growth echoes future emptiness
Searching devotedly for the transient ability
To picture its own intransient ripeness.

Just a bit more, then I'll shut up and behave
While you blossom holding vigil over an emptied grave;
Angel, you face the implacable beauty of endings
Where peace and maturity take poetry's honors,
And marble whose murmur of eternal waters
Merges with stone that has grown wings.

All things gravitate toward indistinctness,
The gull traces sea cliffs of tenderness,
Whatever reflects a vortex becomes a vortex;
Is there any evidence of the senses shaping
Beauty into non-being that bedecks
With the forms of escape, reality in hiding?

O we are unworthy of our heart
Not even when wisdom sets us apart,
Awake before that which vanquishes us with a dream,
Until we cry out: Mercy! It is pollen seen
In the useless fall on the innocence of the most
Sober white flower, whose name became hope.

O Angel, gentle regardless of your might,
Or because of it, fire with its own night,
How did the splendid event occur when your being
Fled a place that would have been outside you?
For confusion created what's happening
But tardy radiance touches the deepest hue.

Наше име неће бербу доживети
Свега што може себе да сети.
Појединачно нас, јој, унеразуми;
Опште нас заслепи. Забуна је сличност.
Моје лице тоне у чудну безличност
Која мермером своје очи уми.

Ах, надо коју врисак зна изрећи,
Тескоба и грижа, пре но мир у срећи,
Слаби смо и ломни као лист лискуна
И не усуђујемо се да будемо друкчији.
Преселили смо цвеће под реп змије,
А ипак нам је душа наде пуна.

Дај лобању празну за преживеле лажи;
Неизбежни додир сна и праха тражи
Имена посна троструких одраза.
Властито ме срце порази. О, крах,
Кад крв своју бури подмећем, и плах
Пењем се на врх пресахнулог млаза.

Вратиће те време. Клечаће и влати
Ко у Матјече, на гори што пати,
Док те у дубини преуређују звезде,
Које не видиш, ал видиш звезданост
Пресвислу у води без чари што занос
Твог срца троши за хридине трезне.

Моја те љубав претвори у нешто
Што се не може волети. Ал вешто
Твој костур празно препозна сазвежђе.
Ко ће преживети Плод, ако га буде,
Сићушан испод дрвета, ког луде
Покушаше трести у зоре све блеђе.

Our name will not live to see the harvest
Of all that it can remember of the past.
It has made each of us, alas, unreasonable;
It blinds us *completely*. Confusion is similarity.
My face sinks into a weird impersonality
That rinses its eyes with marble.

Ah, hope that only a scream can express,
Gloom and remorse instead of peace in happiness,
We are as frail and fragile as flakes of flint
And we don't dare to be any different.
We replanted a flower beneath the serpent's tail
But hope is still overflowing in our soul.

Grant us an empty skull for lies we survive;
The unavoidable contact of dust and dreams strive
For devotional names cast in trident reflection.
My own heart defeats me. O destruction,
When I urgently plant my blood in a storm, I
Climb to the top of a water jet gone dry.

Time will restore you. Even grass will bow,
As in Matječe,* on the mountain of sorrow,
Until the deepest stars in the sky, which you don't see,
Refashion you, but whose starriness you do see
That died of grief in unmagical waters that bliss
In your heart scatters along sober cliffs.

My love transformed you into something
That cannot be loved. But your skeleton, its cunning
Recognizes a vacant constellation.
Who will survive Fruition, if it should happen,
A stunted fool beneath a tree is drawn
To shake these branches in ever-paling dawns.

Ту врста тла проговори са гране
Заведена од сунца у непојамне дане,
Када знам шта ми окружава вид,
Ал не знам сунце што га испуњава
На уласку у земљу која спава
Сањајући труле лобање и зид.

Such soil speaks from branching sprays
Seduced by the sun during unimaginable days,
When I know what surrounds what I see,
But not the sun that fills it, whose rays fall
At the entrance of the earth asleep,
Dreaming of rotting skulls and a wall.

Празно је дубље. Јао, време, где те
Пламен пресеца. Оспорени свете!
Није ли страшан лет који је доказ
Празнине у стварима. Цвет уместо ока
Исто сунце виде. Слепо слепим само
Видети можеш. Залеђени плам
Огледало поста ономе што сања.
Облик је врлине стрела угледања.
Што светлост раскопча орлу испод грла:
Запамћена зимо бит је неумрла.
Јао, време, устах, ал се не пробудих;
Шта то видех, шта то сањах, па сад лудим.
Аскетска ружо, сени оплођена
Цветом, крв ти зајмим, а сам бивам сена.
Ту нема сунца јер све собом зрачи
Место узалуд покушано. Јачи
Постаје који своје слабост спозна,
Цвет шупљом руком откинут. О грозна
Свирало која пресађујеш влати
Из питоме долине на литицу што пламти!
Глув да чује немоћ како вешто свира
Шупљину фруле изнутра и пепео додира
Слух сажет звездом успомену згусну
Преприча росу и неверицу усну
Мамећи сене из свирале празне
Ишчезлим даном. Јао, речи разне
Исто значе. Никад *цвет* немогу рећи
Ако не мирисах *нецвет* много већи.
Најближи дан је који прође давно,
Смиреност сени примакнута славно.

Emptiness is deeper. O time, where has
The flame cut you in two? O contested
World! Isn't flight terrifying, which is
Proof of the emptiness in things. A flower instead
Of an eye has seen the same sun. Only
Blindness can with blindness see.
A frozen flame is transformed clean
Into a mirror for the dreamer and his dream.
Form is virtue, the arrowhead of self-reflection.
What light emblazons the eagle's talon:
A recollected winter will never die.
I awoke but I'm still asleep. O time,
What did I see and dream for my mind to go?
O ascetic rose, pollinated by a flower's shadow,
I lend you my blood as I become shadow.
There is no sun where — one may go
In vain — all things give off their own light. Whoever
Sees his own weakness becomes stronger,
A flower plucked by a hollow hand. Inelegant
Shepherd's flute, O grass that you transplant
From a pleasant valley to blazing cliffs!
The deaf can hear how impotence skillfully riffs
The hollowness of a flute, touching ash,
Hearing compressed by a star, its memory slashed,
Retells disbelieving dreams and dew
While snaring phantoms from an empty flute
With the vanishing day. Alas, different words
Mean the same thing. I could never say *flower*
Unless I smelled a much greater *not-flower*.
The closest day is the one longest gone;
Apparitional peace has gloriously closer come.

Јао, време стрмо израсло иза лажног
Сусрета чула у уму. Неважно
Спрема у свему виђеном поразе
Оку и уху док сазвежђа силазе
Кроз левак цвета у земљу, престрого
Штиво корењу. Ту сам изнемого.
И вишак ватре поста сунце злобе,
Златни почетак отрова и тескобе.

O the sharp slope of time unfolds
Behind a false meeting of senses and soul.
It idly prepares the defeat of the eye and ear
For all things seen, while constellations veer
Through the flower funnel to earth, material too
Harsh for roots. There, exhausted, I collapse.
And the overflowing fire becomes a sun of malice,
The golden origin of venom and gloom.

Све је нестварно док траје и дише;
Стваран је цвет чија одсутност мирише
И цвета, а цвета већ одавно нема:
Беспућем до наде песму ми припрема,
Кад издан још волим ону која спава.
Успомено златни праже заборава!
Из пресађеног отрова дан расте и спрема
Почетак лепоте, а лепоте још нема:
У прекомерности и изобиљу се губи.
Лепо је мањкање у себи што љуби
Празнину и место још неопорављено
Од одласка анђела, свисло биље. Сено
На трагу одлуталог цвета чије име
Мирише изван врта и води ме
До чистих места, нестварних без наде,
Ружо померена најслађи мој јаде,
О како дивно трајеш измерена
Својом одсутношћу, одважно мислена.
Ватро безболна, о жестино даха
Оног чега нема, примедбо мог праха,
Што приста на себе, али наде пун,
Због које је сваки свршетак непотпун,
Одсевом циља непрозирност смири,
Увреду глине сунцу, сјај рашири.
Зид мутни што се под фреском отрезни
И ојача празни занос неопрезни,
Нек лепше од звука слути ми суштину,
Губљење вида и пут у долину.
Јер и пад је лет док се не падне
У себе; а тамо — нема нас, већ гадне
Кљују нас птице и ругло смо свима;

Nothing is real while breathing and extant;
Real is the flower whose absence is fragrant
And blossoms; yet the blossom is long gone:
Going from wasteland to hope prepares my song,
Betrayed, I still love the sleeping woman.
O memory, golden threshold of oblivion!
The day prepares the beginning of beauty
From grafted venom, but still no beauty:
It is lost in abundance and excess.
The beautiful shortcoming of loving emptiness
And the still unremedied spot — it's
Marked by an angel's departure and withered plants.
A shadow trailing a flower that's wandered away,
Whose fragrant name leads me past gardens, aye,
To places unrealized without hope and pure,
O rose, driven mad by my sweetest horror,
How beautifully you persist in time,
Poised by your own absence, boldly designed.
Fire without pain! O violent gust
Of that which is not, O comment of my dust,
Which agrees with itself, with hope replete,
On whose account each ending is incomplete,
The reflection of goals that quell opacity,
The mud insults the sun and spreads its glory.
Beneath the fresco, the murky wall is sober again
And strengthens an empty, reckless *élan*,
Let the wall intuit my essence, lovelier than sound,
My loss of sight and my journey down
The valley. For fall is flight till one falls into one's self;
And there we find horrible birds — instead of our self —
That feed on our flesh, and we're a disgrace to everyone;

Ко нема више срца тај га има.
И пакао је љубав кад дозревање ока
Ружу у слику претвори, дубока
Расањаност да јој луди мирис кроти
И одузме срце ведрини и лепоти,
Јер ако крајности исто сунце доји
Сувишно је срце где песма постоји.
Провидност лепоту опседну да плане
Кад презиром казни све излишне дане
Где досада је врлина без наде
Пепео одблеска који упознаде
Испражњен југ и посвећене руке
Сјајем нове звезде за прастаре муке
Кад пакао је љубав и исти огањ гори
У злочиначком срцу и на гори.

Whosoever no longer has a heart has one.
And hell is love when the eye ripens round
And turns a rose into a picture; a profound
Awakening can tame its mad fragrance
And take away the heart's beauty and cheerfulness,
Because if extremes are fed by the same sun,
A heart is too much when there's a poem.
Transparence occupies beauty to set it ablaze,
When it hatefully punishes all futile days
Where boredom is a virtue void of hope, indeed,
The ashes of a flash of light that know the emptied
South and the blesséd hands that cast
New stars for sorrows from the distant past
When hell is love, the same fire burns in the breast
Of a criminal and in a high mountain forest.

Биљко, помешаност смешну земље и воде
Кажњену блатом, благо презри цветом.
Ал пристани на свет који звезде воде
Изласку мутном с безбожним полетом.

Срце роди поноћ главе, ал избави
Себе анђелом када време стаде.
И оплођен прахом мутни цвет објави
Померање порекла, дан већи од наде.

Биљка те мисли; мој ум се исели
Смело у цвет који иронично гледа
Лобању празну. Ко птицом исцели
Понор пролећу безазленост преда.

Ружом погрешно и нежније казана ватро,
Пролеће прође и нико се не стиди
Да преостале дане као будућност види,
Коју прелетају гмизавци с птичјом маштом.

Препорађањем испирај сјај свету
И звезди која поноре затаји;
Нека се трулеж отрезни у цвету
Непознат несвесној ружи која сјаји.

Држиш у руци ватру као да је
То нешто стварно, анђеле са зида,
На уласку у завичај који даје
Лобању трулу за злато мог вида.

Plant, tenderly scorn your silly mixture
Of earth and water, punished by mud, with a flower.
But accept this world that stars sweep
Up to a gloomy exit in a soaring, godless leap.

The heart gives birth to midnight's head
But is saved by an angel when time stops. Note
The gloomy flower, fertilized by dust, stated
A shift in origin, a day greater than hope.

The plant thinks of you; my mind will pass
Bravely into the flower that will wryly gaze
At an empty skull. Whoever heals the abyss
With a bird grants harmlessness to spring days.

O fire, misspoken more tenderly by a rose,
Spring passes and no shame or indignation
To see the remaining days as the future, those
Which reptiles fly over with a bird's imagination.

Shower rebirth on the world's splendor
And on the star that conceals an abyss; so
Let rot sober up in a flower
Unknown to the unconscious, radiant rose.

You hold fire in your hand as if it were made
Of something real, O angel from the wall,
At the entrance of a homeland that will trade
My golden visions for a rotted out skull.

Прими и цвет кога презиру љиљани
Запамћене мудрости у сусрет мом праху.
Истинске су речи тужне; прави дани
Празни. У прашини траг нађи уздаху!

Као они што се ослободише љубави
Љубећи силно, сићи ћу једном празан
У свет полутаме, где зборав плâви
Поља, а звезде тамани зараза.

Трешњо неверице без облика срца
Људског, звездане падавице вруће,
У пољупцу се ништавност копрца,
А пут је само упознато беспуће.

Из срца ми славује измами гора,
Па празан клечим пред оним што паде,
Сред непокретних ветрова и мора
Празних: пакао — предео без наде!

Шумор без шуме и цвркут без птице,
Празно што је траје; не чује се што јесте.
Док с мртвог оца скидам наслеђено лице
Ватром се звери и звезде причесте.

Чиста реч која каже себе маном
Избеже твом бићу, ал упозна зору;
Доврши ти небо у неисказаном,
Да ти име чезну острва у мору.

Да уместо мене пати, песме ето!
Испражњено срце још је увек живо.
За велико сунце у камену сажето
Кристал истури прозирност ко сечиво.

Accept the flower that is scorned by the lilies
Of recollected wisdom meeting my dust.
True words are sad; real days
Are empty. Find traces of breath in dust!

By loving too much, like those who are free
Of love, one day I will descend, empty,
Into a world of shadows, where oblivion
Floods fields, and plagues darken constellations.

Diffident cherry, lacking the form of a human
Heart; hot, starry epileptic fits,
Nothingness squirms in a lover's kiss,
And a road is only a familiar wasteland.

A mountain lures from my heart nightingales,
And empty I kneel before what has fallen,
Amid empty seas and motionless gales:
It is hell — a hopeless region!

Rustling *sans* forest, chirping *sans* bird,
Empty things endure; what is real isn't heard.
As I lift an inherited face from my dead sire,
Wild beasts and stars hold communion with fire.

The pure word that speaks of its shortcomings
Has eluded your being, but knows how dawn came;
It has finished the sky for you with unsaid things,
So that islands in the sea long for your name.

To suffer in my place, here's a poem!
An emptied heart still beats with life.
For a great sun compressed into stone
Crystal brandishes transparence like a knife.

Камен је потчињен говору и зими,
О речи које речено поткупи!
Звездо, мој пакао и моје срце прими
Угашеном руком што бескрај исцрпи.

Ослепљеном росом у надање и вече
Вара ме азур поклоном теби сличним
И страх стварнији од оних што клече
У страху од промена пред злом непомичним.

Оговарају воде одражено
И дан пронађен пре него што сине;
Почетак света виде поражено
Име светлости која светом мине.

А твоја милост путеве одводи
У ружичњаке јасне, сестро крина,
Измењена звездама одсутним у води
Над којом лебди њезина дубина.

Пјан од ударца срца још тетурам
На Југу без Мора што препливах га ипак,
Јер нестварност је јача и најжешћа је бура
На мору ког нема, а хучи и ђипа.

Звонке руке пружам граду који спава
Пометених језика, са сунцем у бари,
Узиданих мајки у зид мушких глава,
С анђелом у воћу и оку што стражари.

Лукавство позајмљених догађаја,
Неизрециво а научено ко време,
Варко, у теби удес и случај спаја,
Где прерасте слику и сјај успомене.

Stones subjected to extremes of speech and cold,
O words, once spoken, you're bribery!
O star, my heart and hell will hold
With extinguished hand whatever exhausts infinity.

The azure tricks me with blinded drops of dew
With hoping and evening, with gifts that resemble you
And fear more real than of those who kneel
In fear of change before unwobbling evil.

Bright, reflective waters even defame
The day found before its rising; they
See the world's beginning, the ruinous name
Of light leaving the world, dying away.

Your mercy leads all roads
To bright rose gardens, sister lily,
Transformed by absent stars in a sea
Whose own depth an endless vigil holds.

Drunken from my heart's blows, my mind staggers
In a Jugo* without a Sea that I managed to swim,
For unreality is stronger, as a gale is most grim
In a sea that does not exist, yet roils and roars.

I offer my resonant hands to a city that sleeps
With confused tongues and a mud-puddle sun,
Mothers bricked up by male heads, and an
Angel in fruit and the watchful eye he keeps.

The shrewdness of borrowed events, unspeakable
But as learnèd as time, O illusion, make unity
Of doom and chance wherever you are able
To outgrow the image and splendor of memory.

59

Нек ти име чезну острва у плими,
Анђеле, и песма која место мене
Пати, јер пакао и моје срце прими,
Да бела изнутра црним трагом крене.

Померање порекла дан већи од наде
У калемљеном плоду речи слутим,
Понор у руци анђела што стаде
С ватром на уласку у завичај мутни,

Да дан пронађе пре него што сине,
У оку и воћу тамни обрис раја,
Нестварност пуну воље и жестине
Која у нама коб и случај спаја.

Главо све даља од срца мом праху
Трулеж у цвету отрезни и целу
Ноћ кроз пределе без наде, у страху,
Празно и земљано вапи звезду белу.

1958.

Let islands long for your name at high tide,
Angel, and the poem impaled on a stake
Meant for me, for hell accepts my heart, white inside,
Yet leaving long black lines in its wake.

I sense the day's shifting origin come forward,
Greater than hope in the grafted embryo of a word,
An angel who stopped, abyss in hand,
With fire at the entrance of a grim homeland.

Let the day find before sunrise
The dark contours of paradise
In fruit and eye, unreality full of great
Vigor and will that unifies chance and fate.

Head, farther and farther from my heart, sober
Up the rot of my ashes, heal them in a flower
Through a night in hopeless regions spent in terror,
Howl like the empty earth for the white star.

1958

УТВА ЗЛАТОКРИЛА

THE WILD DRAKE OF GOLDEN WING*

1959.

ФРУЛА

Грознице нежне поремећеног цвета
Слутиш. Гле, биљу клањаш се опет.
Трагом пјаног југа и ишчезлог лета
Пожури, опевај пре празника свет.
Понови дан због незахвалног тела
Што сунцу узвраћа сенком и песму квари.
Врати човеку усамљеном птицу:
Под празним небом плачу соколари.
Дозови утве с гора у предање.
Састави чула песмом да не вену
У ноћи тела. Нек буде све мање
Видљивог да оствариш успомену.
Празниш ми колено и узимаш срце
Жури, круг опевај, несрећу превари
Смедерево отвори, птици се додвори
Под празним небом плачу соколари.

THE SHEPHERD'S FLUTE*

Inklings of the tender fevers of a disturbed flower.
Look, you're bowing to plants again. Rush headlong
Down the trail left by the vanished summer
And the drunken south and praise the world in song.
Renew the day for the ungrateful body
That trades shadow for sunlight and ruins a song.
Restore the bird to the man who is lonely:
Falconers weep beneath the empty sky.
Bid wild mountain drakes to enter legend.
Unite the senses in a song so they'll never end
In the body's night. Make sparing
Use of the visible to create memory everlasting.
Empty my lap, take my heart, and fly,
Outwit misfortune, extol eternal return,
Open Smederevo, court the bird,
Falconers weep beneath the empty sky.

ГОЈКОВИЦА

И тако будућност мрачној нади поста
Сужањ и талац зло животу верно.
Грлицу опева камење што оста
У пределу који расте лаковерно.
Јеси ли живи стуб града ил мртва
Бели бедем дојиш превару све већу?
Празно име наде и прелепа жртва
У зиду без звезда праведно се срећу.
Тела чишћег од изгубљених речи гори
Дан после времена кога се сви боје,
Ноћ низ Бојану отиче у твоје
Срце продано несигурној зори.
Трговци часни што купују ватром
Из твојих руку истинито благо
На твоме телу град цртају јатом
Жртвених ждралова умиљатом снагом.

GOJKOVICA*

And thus the future became a hostage and slave
Of dark hope, evil loyal to existence.
Stones that here remain sing of the brave
Dove in a place that thrives on credence.
Are you the city's living pillar or a dead stanchion
Suckling a white rampart, an even greater fraud?
The empty name of hope and the exquisite victim
Rightly come to meet on a starless wall.
The day after the time everyone holds in awe
Burns with a body purer than lost words,
The night flows into the Bojana, then downwards
Into your heart, sold to uncertain dawn.
A group of honorable merchants obtains
True treasure from your hands with fire
To use a sacrificial flock of cranes
To paint on the canvass of your body the city they
                                                        desire.

Зова

Из зове која се собом забавља
Пределом слепим погубан је пој.
Издајство и брука ко песма се јавља;
Успомена траје у намери злој.
Цвеће нас оговара; шума се прикрада
Нашој наказној самоћи. Нема тајне.
Свирала се руга. Ругоба и чежња
Изједначише се пред крај лета. Сјајне
Заблуде ватре ништа не савлада,
Интриге сунца у плодовима гласним.
Сирене биљне пустолове маме
И чине свет смешним и опасним.
Речи су издајство; труљење сунца вајну
Сласт плода кукавичлуком означи.
Муњ и прогонство звезде које тајну
Казаше понору безвучно помрачи.

THE ELDERBERRY*

The singing heard in the blind region belongs
To the self-absorbed elderberry, and it's dangerous.
Strains of treason and disgrace appear as songs;
Memory persists with evil designs for us.
Flowers defame us; the forest sneaks
Up on our monstrous solitude. No secrets.
The flute is making fun of us. Monstrosity and
Longing become equal at summer's end.
Nothing can conquer fire's splendid misconception,
Loud fruit ripens with intrigues of the sun.
Vegetal sirens lure the most adventurous
And make this world funny and dangerous.
Words are treason; the rotting sun tars
The sad taste of fruit with cowardice.
Mud and exile silently darken stars
That told unspeakable secrets to the abyss.

БОЛАНИ ДОЈЧИН

Је ли истинито оно што је стварно
Ил само влада? Победници беже.
Празан је празник биће је утварно
Док достојни шетње кроз врт мртви леже.
Сунце је болест и слабост је стрела
У сну одвојени водом док се мрзну.
У висини ватре хладно је без тела.
Ко поједе своје срце тај се дрзну
Да песник буде пределу без памћења,
Цвет недовршен кад пролеће већ прође.
Свет ће спознати онај ко га мења.
Слаби су позвани да постану вође.
Дозивај пепео без страха јер нема
Пепела већ само пламен који спава
У камену мутном што потајно спрема
Излазак сунца изнад мртвих глава.

DOJČIN THE INVALID*

Is the truth real or does it merely reign?
Conquerors flee. It's an empty holiday
Being is ghostly — while those worthy of promenades
Lie dead across a garden pathway.
Weakness is an arrow and the sun a disease
In dreams separated by waters till they freeze.
Up there, fire is bodiless and cold.
Whoever eats up his own heart is bold
Enough to be a poet of places without memory,
The flower is unfinished and spring has gone already.
The world will be grasped by the one changing it.
The weak will be summoned to lead it.
Hail ashes fearlessly because ashes
Do not exist, only the sleeping flame that beds
In hard, dark stone that secretly brushes
A sun setting over decapitated heads.

СЛУГА МИЛУТИНА

Последњу светлост слабости прате и биље...
Употребљив само у сну, свет нас вара!
Варницом нежном низ црно ковиље
Дожељен предео обузе превара.
Што је дубоко нит лети нит тоне,
Нит варкањем варке богојавно плане,
Да ноћ која их наизуст зна троне
Поткупљивим сребром мудрости преране.
Горка причест слуха у себи вас крије,
Чемерни лабуди излишности бритке.
Усамљеност је нискост. Госпо моја, бије
Свако у свом мраку изгубљене битке.
А кад зид лобања све време опчини
Нико неће знати је л рано ил касно
За љубав за пут ил смрт док сунце јасно
Кува одбеглу горчину у висини.

MILUTIN THE SERVANT*

Even plants follow the last light of weakness…
The world, useful only in dreams, deceives us!
Deceit overcomes the long-desired place
With a tender spark along black feather grass.
What is deep will neither sink nor fly,
Illusions don't epiphanize by tricking illusion's eye,
So the night, knowing them by heart, is done
In by the bribable silver of premature wisdom.
The bitter sacrament of hearing conceals you
In itself, grieving swans of stark excess.
Solitude is low. Everyone, my lady true,
Is fighting lost battles in their own darkness.
But when eternity is charmed by a skulled wall
No one will know if the time has come
For the open road or for death till the clear sun
So high up cooks fugitive gall.

УТВА

Дај несаницу гране с које слете
Звучно у дане последње и тужне
Златокрила које не могу да се сете
Црне шуме иза главобоље ружне.
У тврду земљу да л одлете шупља
Од неба, празна као све што траје?
Ватра која те види биће скупља
Од злата које себе не познаје.
Оста само име: доста да се роди
Песма у лету сјај далеке зоре.
Сањам те док певаш у скамењеној води
Морем без молитве про непрелет горе.
Одлете трагом издајничке среће,
Од блеска срца руком склањам лице.
Не куни воду изгорети неће,
Удахнуо те камен крилатице.

THE WILD DRAKE

Forbid sleep to the branch from which the wild
Drake of golden wing noisily shot
Into the sad and final days that remember not
The black forests after troubles rude, even vile.
Will it fly into hard earth, more hollow than sky,
Empty as all things that persist in time?
The fire that sees you will be more costly
Than gold that gold does not see.
Only the name remains; it is enough for a song
To be born in flight through the splendor of distant dawn.
I dream of you singing in waters turned to stone
From sea without prayer to impassible mountain.
It flew away with a treacherously happy turn,
I shield my face from my heart's bright glow.
Do not curse water — it will not burn,
A winged creature of stone has inhaled you.

ТАМНИ ВИЛАЈЕТ

Туђом су песмом очарани. Тешка
Неверства крију у срцу што стрепи:
Славује стрампутица. Сунце је грешка
Плаћена виђеним ужасима слепим.
Ноћ уместо ока лукава ватра нуди,
Ал стоје кужни у истрошеном ваздуху
И следе видљивост различито људи,
Биљке и звезде подмићене у слуху,
Понор сумња у њих јер их испуњава;
Само су слаби изван опасности,
У злочин је умешан и онај ко спава.
Никога нема да јакима опрости
Што сиђоше у тамни вилајет и злато
Које се не може узети открише.
Што год да чиниш зло чиниш јер блато
Из тога подземља славно је све више.

THE WORLD OF PERPETUAL DARKNESS*

They're bewitched by an alien song. They've hidden
High treason deep in their anxiety-ridden
Heart: wrong ways rejoice. Sun is an error
Paid in scenes of blind horror.
Cunning fire offers night instead of an eye,
But leprous men stand in the exhausted air
And in various ways follow visibility, and stare
At people, plants, and stars whose hearing was bribed,
And the void, since it fills them, holds them suspect;
Only the weak are out of danger this time.
Even the sleeper is mixed up in crime.
There is no one to forgive the strong for their trek
Into the world of perpetual darkness for having found
Gold that cannot be carried away. Whatsoever
You do, you commit evil because mud found
In that underworld is renowned far more.

РАВИЈОЈЛА

„...тужна вила није сјена пука"
Тин

Твоје је срце узрок дана и ноћи
Време слично сунцу дубоком и празни
Забрањени славуји славни ал без моћи
Твоје је срце узрок дана и ноћи
Да све што прође врати се по казни
Тужна посестримо чемера и буне
Пелен је једини лек и горка нега
Срцу још горчем што се тобом куне
Тужна посестримо чемера и буне
Јетких мудраца с измишљена брега
Твоје је срце у другима ти само певаш
И твоја их празнина све више очарава
Опроштена им опорост доснева
Твоје је срце у другима док певаш
О искри искреној која очајава
У таштом пределу коме одолеваш.

RAVIJOJLA*

... a sad fairy is not simply an apparition.
— Tin

Your heart is the cause of night and day
A time, twin to the deep sun, and the banned,
Empty nightingale, powerless yet renowned
Your heart is the cause of night and day
May every passing thing return as punition
Sad blood sister of misery and rebellion
Wormwood is the only cure and bitter aid
For a more bitter heart that swears by your name
Sad blood sister of misery and rebellion
Of caustic sages from an imaginary mountain ring
Your heart beats in others, all you do is sing
And your emptiness further bewitches the liaison
Their forgiven acerbity dreams up the rest
Your heart beats in others while you sing
Of a sincere spark that is despairing
In this meaningless region you resist.

КОЛО

Ван њега све је бескрај, варка и злоба,
Празнина у ветар претворена ташто.
Само је будност песма, и тескоба,
Бешчулно место преварено маштом.
Измишљање слепог у ковитлац ока,
О саплитање кроз измишљен врт!
Искуство ослобођено памћења
Опчини биље нежности и смрт
Около времена, около костура,
Около данашњег дана опраштање.
Док се срце игра својом прозирношћу
Угасла јасност чека испаштање.
Чикају свет за потиљком. Чуј
Шта закаснела Фрула каже свету.
Из пепела ока излеће славуј.
Крилатост клисуре одмени сујету.

KOLO*

Outside it, all is infinity, illusion, and malice,
And emptiness vainly transformed into wind.
Only vigilance is a poem, and distress,
A senseless place deceived by the imagination.
Imagined blindness veering in the eye's vortex,
O stumbling through an imagined garden path!
O experience, freed from memory, hex
The plants of tenderness and death
Pervading time and a skeleton, cast a spell
On today's day of saying farewell.
As long as the heart plays with its transparence
Extinguished clarity waits to do penance.
They taunt the world behind its back. Listen
To what it says to the world, this tardy
Flute. A nightingale flies out of an ashen
Eye. The rapidity of cliffs replaces vanity.

ДОДОЛЕ

Ко сат без казаљке светом откуцава
Пронађена празнина дану сагорелом
Што посвађа будно са оним што спава
И лет заустављен с лажи одлетелом.
Па певају: дај нам будућност ко сећање,
Свет више иза нас него ли у нама.
Да би чезнули и певали дај мање
Него што нам треба. Падај кишо тамна!
Ружу нутрине нуде безазлено
Промуклом додиру дана да га свлада.
Између њих и света стрмог, ено,
Као у јаму тешка киша пада.
Жуборику биљно песмом дозивају
И дан иза леђа ко потоњи цвет.
Бела им врана на језику. Знају
Са лажном сликом да помире свет.

DODOLE*

The emptiness found in a burnt-out day
Ticks in the world like a clock without hands, keeps
What is awake quarreling with what sleeps
And suspends flight with lies flown away.
And they sing: Give us future as memory, deign
A world more behind us than inside us.
To keep us yearning and singing, give us
Less than we need. Fall, dark rain!
They innocently offer an interior rose
To the hoarse touch of day to conquer it.
Between them and the steep world, behold,
As if heavy rains were falling into a pit.
They summon the aspen with a vegetal song,
The day behind your back like a late flower.
A white crow perches on their tongue.
They can calm the world with a false picture.

РАСКОВНИК

„То је некаква (може бити измишљена)
трава за коју се мисли да се од ње
(кад се њоме дохвата) свака брава и
сваки други заклоп отвори сам од себе."

Вук Ст. Караџић

Отрови кам у ком искра малаксава,
Да лепши од празника обичан дан буде.
Изнеси благо из лажних остава,
Из измишљеног пакла лековит јед руде.
Поклони своју биљну мудрост дану.
Отвори пут у речи, у ризницу гоље.
Око заходи са сунцем, не срце. Освану
Варка, рекавши: хајдемо у поље!
Биљни сезаме отвори обзорје
За све који су се родили прерано;
Нек уђу у туђе срце ако су отворили своје,
Путници врлим ли морем, гором ли саном.
Отвори семенку у којој нежно чами
Заборављено пролеће. Отвори
Камен што пређута звезде својој тами.
Отвори пут птици, човеку и зори.

Raskovnik*

*It is a type of (perhaps imaginary) plant
which is thought (when obtained) to be
able to open every lock and every door
of its own accord.*
— Vuk Karadžić

Open the stone where a spark fades away
So a usual day is lovelier than a holiday.
Haul treasure out of false troves,
They mine healing rage from imagined infernos.
Bestow on the day your vegetal wisdom.
Open the road to words and coffers to the poor.
The eye, not the heart, sets with the sun.
Dawning Illusion said: Into the fields once more!
The 'open sesame' of plants opens the horizon
For all those born too soon; let them alone
Enter a stranger's heart if they've opened their own,
Voyagers of the brave sea and dream mountain.
Open the seed in which the forgotten spring
Tenderly languishes. Open the stone drawn
To silencing stars with its own darkening.
Open a road for bird, man, and dawn.

ПОХВАЛЕ

EULOGIES*

1955.

ПОХВАЛА БИЉУ

I

Дошле су из једног сажетог дана непознате и
познате
Снебивљиве у нашој употреби многобројне биљке
Чине видљивом линију којом се граничи измишљено
и стварно
Свуда где има минерала и ваздуха воде и маште
Биљке које нам пробадају тело зрачним копљима
мириса
Које нас заустављају отровом и продужују
беланчевином
Скупљају нас по свету и хране нашу изнемоглост
Из земље закључане пред нашим моћима
Ваде неопходна блага из затворене бразде
Из црне браве за коју нема другог кључа осим биља
О врло смеле и инвентивне биљке
Све што пронађу несебично покажу
Стоје између нас и празнине као најлепша ограда
Биљке што ждеру празнину и враћају нам ваздух

II

Изналазе путеве између крајности: између минерала у
коме никада није ноћ, где сунце не залази,
где је симетрија стална, и нашега срца
Оне расту ван јаве па нам се онда јаве
Чине паралелним прошлост и будућност и старају се
да не буду више мртве стварности
него живе нестварности
Иду до смрти и натраг и чине време потребним
Помешају дан и ноћ и зачну слатке плодове
Припремају љубав

In Praise of Plants

I

They came out of one compressed day, known and unknown,
We make use of them, the timid numerous plants
They draw a line between the imagined and the real a visible
                                                    border
Wherever there are minerals and air water and imagination
Plants that pierce our body with lancing rays of fragrance
That stop us with poison and prolong us with protein
They gather us around the world and they nourish
                                            our exhaustion
Out of the earth that locks out our powers
They mine necessary treasures from a closed rut
From a black lock for which there is no other key
                                            except plants
O valiant and inventive plants
They unselfishly reveal everything they find
They stand between us and emptiness like the most
                                            beautiful fence
Plants that devour the void and give air in return

II

They cut roads between extremes: between minerals
    in which night never falls, where the sun never sets,
            where symmetry is everlasting, and our heart
They grow beyond awareness, then they appear to us
They make the past and future parallel and they make sure
                                    there is no more dead reality
                                    than living unreality
They go to death and back and make time necessary
They blend day and night and conceive sweet fruits
They are preparing love

III

Ту све почиње ако у њима заиста има прилагођене
                                          светлости
(Тамо где не посредују између нас и нашега сунца
                                          пустиња је)
Оне стварају свет пре његове очигледности пре првога
                                          дана
Цветају птице на гранама људи од глине отварају
          стабла и узимају отуд срце слично ружи
Оне су најмање измишљене
Не мењају недељу за понедељак

IV

Два света је измишљају: подземни онај чији је дан
                                          имитација невидљивог сунца
Биљка са кореном изван овог света
Отвара ветар и улази у празно не куцајући
Продре кроз материју и такне бескрај њен наговорени
                                          цвет
Њено биљно искуство: пресипање једног света у други
Зелене враџбине биљни ђаво цвет а не свест
Њена безболност додирнута чудесним

Врати зрно у заборав
Ослобађа ме бога њена провидност
Слична птицама које прелетају мора
(Конфузне птице не схватајући простор)
Њена безболност њен цвет без памћења лишише је
                                          бескраја иако је дело два света
Иако експлоатише једну супстанцу нимало конкретну
                                          у дубинама дана
Биљке!
Измишљам им имена да живе са мном поклањам им врт
Приближавам их својим навикама и потребама
Користим се њиховим заборавом

III

Everything starts there if indeed light is balanced in them
(Wherever they do not mediate between us and our sun
                                    there is a wasteland)
They create the world before its obviousness before the first day
Birds blossom on branches, clay men open
            tree trunks and take out a heart that resembles a rose
They are the least invented
They don't trade Sunday for Monday

IV

Two worlds invent it: the underworld whose day
                        is an imitation of the invisible sun
A plant with roots outside this world
Opens the wind and enters the void without knocking
Forces its way through matter and touches infinity with its
                                    persuaded flower
Its vegetal experience: decanting one world into another
Green sorcery plant devil flower but not consciousness
Its painlessness touched by the miraculous

Return the seed to oblivion
Its transparency frees me from god
Similar to birds that fly over seas
(Confused birds that do not grasp the space)
Its painlessness, its flower without memory deprives it
        of infinity even though it is a deed done by two worlds
Even though it exploits a substance not at all concrete
                                    at the bottom of the day
Plants!
I think up names for them to live with me I'm giving them
                                    a garden as a gift
I draw them closer to my habits and needs
I am making use of their oblivion

V

Ја знам твоје корен
Али из којег зрна сенка твоје ниче
Биљна лепото дуго невидљива у семенци удаљена
Нашла си под земљом моју главу без тела што сања
истински сан

Звезде поређане у махуну
Све што је створено песмом и сунцем
Између моје одсутности и твојих биљних амбиција ноћ
Која ме чини потребним и када ме нема
Зелени микрофону мога подземног гласа зово
Што ничем из пакла јер нема другог сунца под земљом

О биљко где су твоји анђели слични инсектима
И моја крв што везује кисеоник и време

V

I know your root
But from what seed does your shadow grow
Vegetal beauty long invisible distanced in a seed
You have found my head without its body under the earth
                                        dreaming a true dream

Stars lined up in a pod
All things created by sunlight and song
Between my absence and your vegetal ambitions, night
Which makes me needed even when I do not exist
The green microphone of my subterranean voice
                                        an elderberry
I sprout from hell because there is no other sun underground

O plant, where are your angels similar to insects
And my blood that binds oxygen and time

ПОХВАЛА СВЕТУ

Не напуштај ме свете
Не иди наивна ласто

Не повредите земљу
Не дирајте ваздух
Не учините никакво зло води
Не посвађајте ме са ватром
Пустите ме да корачам
Према себи као према своме циљу

Пустите ме да говорим води
Да говорим земљи
И птици која живи од ваздуха
Глас мој испружен као живац
Пустите ме да говорим
Док има ватре у мени
Можда ћемо једном моћи
Да то што кажемо додирнемо рукама

Не напуштај ме свсте
Не иди наивна ласто

IN PRAISE OF THE WORLD

O world, do not abandon me
Naive swallow, do not go

Do not violate the earth
Do not disturb the air
Commit no evil against water
Do not lead me to quarrel with fire
Let me walk
Toward myself as if it were my goal

Let me speak to the water
Speak to the earth
And to the bird that lives on air
My voice sticks out like a raw nerve
Let me speak
While there is fire left in me
Perhaps we will one day be able
To touch what we say with our hands

O world, do not abandon me
Naive swallow, do not go

ПАРАЛЕЛНА ПЕСМА

хајдемо просте воде
хајдемо

то је мала шетња до
    непознатог и натраг

увежбаним навикама
најобичније речи ми
    набављају све што ми
        треба и не треба

то је најлепша куга то су
    најређе болести

тако потребне мом тамном
жару

када покушам да
    издвојим

мало чистог времена —
песму
за музичку фотографију
празнине

која се пење
слична празним
водоскоцима
звезди црној ко склопљено
око

ама не
свет онакав какав је
празно у пуном

песма коју сви знајуи да је
    нико не испева
да се нико не издвоји

да ниједан град не буде
    престоница
    другим градовима

не, нема разлога да пишем
    песме

ако умем да приближим
    стварност

оному сто радим
    празнини
којој се прилагођавам

шта инспирација

шта њена златна лудост
мисао која се премешта

из једног света у други

кад великим речима
    претходи пустиња

хајдемо просте воде
хајдемо
то је мала шетња до непознатог и натраг
увежбаним навикама које нас изједначише

Parallel Poem*

let's go, simple waters
let's go

it's a short walk to
    the unknown and back

with old habits
the most common words keep
    acquiring for me all that I

    need and don't need

it is the most beautiful plague those are
    the rarest illnesses

so necessary to my dark
passion

when I try
    to separate

a little pure time —
a poem
for a musical photograph
    of emptiness
climbing
like empty
fountains

to a black star like a closed
eye

but no
the world, such as it is, is empty
    in its fullness

a poem known by all even if
    no one wrote it
so that no one is separated from the others

so that no city becomes
    a capital
    of other cities

no, there is no reason for me to write
    poems

if I can approach get closer
    to reality

what I do to emptiness
    to which I am adapting

what inspiration
its golden madness
thought that migrates

from one world to another

when big words
    precede a wasteland

let's go simple waters
let's go
it's a short walk to the unknown and back
to old habits that have made us equal

ПОХВАЛА ВАЗДУХУ

Не ишчезаваш ни у некорисном часу
Када су гласови изнутра шупљи
Када се удише празнина
Не ускраћујеш се
Ни залеђеном телу ни отврдлом срцу
Тако ненаметљив
Да често заборавим да постојим
Тамо где ничега нема
Једина си нада једина могућност
Чак ни док сањам незамењив нечим другим

In Praise of Air

You do not even vanish in useless moments
When voices from within are hollow
When emptiness is inhaled
You do not refuse
Either a frozen body or a hardened heart
So unintrusive
That I often forget that I exist
Where there is nothing
You are the only hope the only possibility
Even while I'm dreaming you cannot be replaced by anything else

ПОХВАЛА ЗЕМЉИ

Помешана са мном
Знам ли је

Она није пролеће
Није ни зима од које ме брани
Она је вољено невреме
И вечито подешавање према ватри

Поклањам јој све што научим преко дана
Закопам у њу све што преко ноћи доживим
Разна мала чудовишта несрећну спојеност
Неприкладних помисли и властиту наказност

Шта да јој обећам ако пођем
На Пут преко напорног Мора
И још тежих измишљања и полустварности
Где исто тако сигурно воде људски путеви

IN PRAISE OF THE EARTH

Mingled with me
Do I know it

It is not spring
Nor is it the winter from which it shields me
It is the beloved tempest
And eternal adaptation to fire

I bestow upon it all things that I learn during the day
I bury in it all things that I experience during the night
Various little monsters the unhappy juncture
Of inappropriate thoughts and my personal monstrosity

What should I promise it if I take
The Road across the difficult Sea
And still harder inventions and semi-realities
Where in the same way all human roads surely lead

ПОХВАЛА ВАТРИ

I

Она нема никога
осим сунца и мене

II

Она се указује луталици
указује се лукавом
указује се заљубљеном

Ништа није изгубљено у ватри
само је сажето

III

На крајевима ватре
предмети који не светле
нити се нечим другим одликују
трају у туђем времену

Птица која сама чини јато
из ње излеће

Узмите шаку свежег пепела
или било чега што је прошло
и видећете да је то још увек ватра
или да то може бити

In Praise of Fire

I

It does not have anyone
except the sun and myself

II

It appears to the wanderer
appears to the cunning
appears to the lover

Nothing is lost in fire
it is merely compressed

III

At the margins of fire
things that do not shine
nor otherwise distinguish themselves
persist in alien time

A bird that alone makes a flock
flies out of it

Take a handful of fresh cinders
or anything else that has passed away
and you will see that it is still fire
or that it can be

ПАТЕТИКА ВАТРЕ

THE PATHOS OF FIRE*

1955.

ПРВА ПОСВЕТА

Сигурно је једно: о ову се птицу отимају шуме. Ако ме питаш где су те шуме, рећи ћу ти: у пепелу који гору с гором помеша. Ја желим само једно: да верујеш у тај пепео. А то ћеш заиста моћи, ако схватиш да време треба побеђивати, што свешћу и песмом, што заборавом, али никада надом, нити оним што је већ остварено. Дакле, ватром која је врло слична празнини, а не сенком. А шта је пламен? Дан свих ствари које немају своје сопствено време. Ове су песме надирање света у празно, дан изнутра.

First Dedication

One thing is certain: forests vie for this bird. If you ask me where these forests are, I will tell you: in ashes that mingle one mountain with another. I want only one thing: you must believe in these ashes. And you will indeed be able to, if you realize that time must be overcome again and again, whether with awareness and a poem, or with oblivion, but never with hope or anything that has already been realized. Therefore, with a fire that closely resembles emptiness, but without a shadow. And what is a flame? A day for all things that do not have their own proper time. These are poems about penetrating the world to its emptiness, the day within.

ДВА ПРЕЛИДА

I

У заборав зашто рече
Што непогрешном погрешком стече
Кад бљутави свет с друге стране
Таче те да ти укус згране
Ту птица без птице друго поста
Речи без смисла поклон за госта
Што својом досадом се забавља
Сви смо ми болесни од здравља
Од сунца коме је најближа
Наша рана недостижна

II

О хладна ватро изгараш
Свуд око мене а дан не свараш
Не знају куће где одоше људи
Нит позна јутро оне које буди
Ал зна их поноћ пуна сунцокрета
Биљни петао на крову света
Који их само зато буди
Што мртви знају да буду будни
Да следе реку звезде и птице
И наставе живот криомице

TWO PRELUDES

I

In oblivion, why refer to your
Gains made by an unmistakable mistake
When the insipid world that exists on the other
Side touched you to astonish your taste
There a bird without birds becomes something
Else, a gift, words without meaning
For a guest absorbed in his wealth
Of boredom. We're all sick of health
Of the sun, so closely tuned
To our unreachable wound

II

O cool fire surrounding me that makes
All things burn, but does not create dawn
Houses do not know where the people have gone
Nor does morning know whom it awakes
But midnight, full of sunflowers, knows
The vegetal rooster on the roof of the world
Awakens them to that end because
The dead know how to be awake, assured
Of following the stream of star and bird
And continuing life unobserved

ДРУГА ПОСВЕТА

(Уз један плакат Славољуба Богојевића)

То што је он насликао је цвет-птица. Она се може схватити на два начина. Ако је схватимо на један начин, то је иронија, мисао која изнађе сличност између њеног малог мозга и цвета. Ја волим те ирационалне животиње које лете. Цвет јој из птичијег врата ниче и она мирише уместо да пева. То је интелигентна птица које уме да збуни. Она је испуњена вечношћу док су друге птице испуњене сламом. Она посредује између онога што знамо и онога што не знамо, и врло је притом стрпљива. Та крилата хризантема мирише. То је оно што јој тело помеша са бескрајем. Чисто је техничко решење што је она нацртана на ограниченом простору. Тај простор је сасвим промозган и комотан за једну овакву представу. Када бих знао о чему она то мирише, ја бих је цитирао да не буде заборављена. Само је наша љубав и страх онога који ју је насликао држи прикованом на том плакату и зиду, али она ће једном одлетети и остаће чиста хартија. Она ће одлетети јер је тако нацртана, да одлети. Одлетеће у рај животиња и кристала. Или ће решити своју двојакост и постати цвет у некоме врту, или птица на некоме небу. На други се начин може схватити тако, да је она пројекција једног уочавања сугерираног забораву. Мислећи о њој ми смо је заборавили. Док смо се присећали ње, ми смо је изменили. Хоће ли је неко хтети тако измењену осим нас? Пустињо смела, отворена на моме челу, прими ту птицу. Тамо где се нисмо могли сетити ничега, остала је празнина која ће јој омогућити да одлети. Она је дивно дело заборава. Она је тако високо да моја душа не може да се сети.

SECOND DEDICATION

(after a poster by Slavoljub Bogojević)

What he painted is a flower-bird. It can be interpreted in two ways. If we interpret it one way, it is an irony, a thought that discovers similarity between its small cerebrum and the flower. I love those irrational flying creatures. The flower shoots from the bird's throat and, instead of singing, it yields a fragrance. It is an intelligent bird, able to perplex. It is filled with eternity whereas other birds are filled with straw. It mediates between what we know and what we don't know, and it is very patient in the process. This winged chrysanthemum gives off a fragrance. That is what its body mingles with infinity. It is simply a technical solution that is drawn in a limited space. That space has been thoroughly thought out and is receptive to such a presentation. If I knew what it smelled like, I would quote it here so that it would not be forgotten. Only our love and fear of the one who has painted it holds the painting nailed to that poster and the wall, but it will fly away and a blank sheet of paper will remain. It will fly away because that is how it was painted, to fly away. It will fly away to the heaven of animals and crystal. Or it will resolve its dual nature and become a flower in some garden or a bird in some sky. It could be interpreted in another manner, as a projection of an insight suggested by oblivion. We have forgotten it by thinking about it. We have altered it by recalling it. Would anyone else besides us want it after it has been altered? O brave wasteland, wide open on my forehead, allow this bird to enter. There, where we could not remember anything at all, a void remained that will enable it to fly away. It is a beautiful creation of oblivion. It is so high that my soul cannot remember it.

111

ФЕНИКС (I)

Да л варком чараш по мом челу
О ти у мени одсутност мене
Могућност крила у моме телу
И неке светлости залеђене
И неке светлости залеђене

Јеси ли можда јава позна
Када се касно остварује
Обећање цветова за порозна
Времена којим сјај путује
Времена којим сјај путује

Цвет си што живи у мртвом телу
А не зна име догађају
Који расцвета ружу белу
За потонули пламен у мају
За потонули пламен у мају

Сјај који себе не упозна
Горким стварима благост врати
И пролеће године. Али ко зна
Да л ће та светлост икад сјати
Да л ће та светлост икад сјати

Да л варком чараш по мом челу
Или си можда јава позна
Цвет што живи у мртвом телу
Сјај који себе не упозна
Сјај који себе не упозна

PHOENIX (I)

Are you singeing my forehead with delusional fantasy
O you within me my absence
The possibility of wings in my body
And some frosty radiance
And some frosty radiance

Are you perhaps a belated reality
When promises to flowering dells
Are fulfilled too late for the porosity
Of time where splendor travels
Of time where splendor travels

You are a flower that lives in a dead body
But does not know how to name
What gives the white rose bloom, ready
For May's extinguished flame
For May's extinguished flame

Splendor that splendor does not know
Restores years to springtime
And balm to bitter things. But who can know
If that light will ever shine
If that light will ever shine

Are you singeing my forehead with delusional fantasy
Or are you perhaps a belated reality
You are flower that lives in a dead body
Splendor that splendor does not know
Splendor that splendor does not know

БОЛ И СУНЦЕ

I

Сунце које подгреваш у новом
Свету старе лажи о сељењу праха
Наша је нада очајна и плаха
Наш пакао поче песмом лабудовом.

Ти што нас не разликујеш а осветљаваш
Сликама од јуче, данас ван времена,
У пустињу се претвара свет који спасаваш —
Залуд птице круже око твог имена.

О, стуб сунчев занет бешчулном музиком
Убија нас сном о савршенству, сликом
Пустиње што очисти сунце од времена
И белих светлости чула што нам срце краду.
Хвалите сунце које осветљава без промена
Супротне ствари завађене појаве очајну наду.

II

То у шта се сјај и бол претвара исто
Бива: љубав коју још песник не рече
Јарки цвете којим вртови се лече
Из пробитог нерва растеш болно и чисто.

Дај ми да видим свршетак твог лета
Мир твога кретања што ми немир снио
И непокретност моја кад сам мртав био
Сам у свом срцу без муње и цвета.

Где је утеха за оно што знамо
Нада без онога који се нада, сан
Без онога што сања, свет без сени!

Је ли то љубав што се из срца тамног
У ватру премешта из ватре у дан
Љубав ван нас и у успомени?

PAIN AND SUNLIGHT

I

O sun that simmers the new world
With old lies about the migration of dust
Our desperate hope is quiet and demure
Our hell is a swan song at first.

You, who cannot tell us apart, and
Cast light with yesterday's images, extemporal today,
The world you're saving is becoming a wasteland —
In vain do birds circle round your name.

O, pillar of sunlight bewitched by senseless rhyme,
Killing us with a dream of perfection, with a desert
Picture that cleans the sun of time
And the senses' white light that steals our heart.
Praise the sun that truly illuminates the scope
Of opposing things contention desperate hope.

II

This thing into which splendor and pain swerve
And unite: love that the poet has not yet revealed
To the bright flower by which gardens are healed
You grow painfully and purely from a pierced nerve.

Let me see the end of your summer hours
Your placid movements that my anxiety imagined
And my own immobility when I lay dead
Alone in my heart without lightning and flowers.

Where is the consolation for what we know
Hope without the one who hopes, a
Dream without a dreamer, a world without shadow!

Is it love that moves from an obscured
Heart to fire and from fire to day
Love outside us and in memory immured?

НОЋ ЈАЧА ОД СВЕТА

О, које ли је време у космосу
Сазнан од звезда рујни понор цвета
Превазилазиш се маглом преко света
Нема успаванке за срдиту јој росу

Јача од света ноћ тајних преплета
Очара празнину заспалог тела што се осу
Звездама кад сан ти сади у потиљку лозу
И птице слећу у камен са длета

Нек шупља сенка нестанак тела слави
Једно је време у срцу друго у глави
Бујну невидљивост са свих страна чује

Ми знамо да је од прошлости веће
Све чега нема и што бити неће
И да свет овај празно одјекује

NIGHT STRONGER THAN THE WORLD

O, what time is it in the universe
A dull red chasm learned from stars and strewn
With flowers, outdo yourself with mists and immerse
The world, there's no lullaby for its angry dew

Night of secret designs, stronger than the world
Bewitching the emptiness of a sleeping body whorled
By stars, when dreams plant a vine in the back of your skull
And birds land right into stone off a chisel

Hollow shadow, celebrate the body that's fled
It's one time in the heart but another in the head
It hears everywhere teeming invisibility

We know all that does not exist
And never will is far greater than the past
And that this world reverberates emptily.

СВЕСТ О ЗАБОРАВУ

Нада је луксуз. Вечна ноћ у крви
измишљеном оку слепим зидом прети.
О ватро тамна иза себе, ко први
да љубим тако љубим, не могу да се сетим.

Зар знам што сам знао зар знам што ћу знати:
скелет усамљени изгубљено име
дивно усклађене с празнином што памти
јаловост цвета и јаловост зиме.

Ја сам забринути љубавник тог цвета
што мами из мене сунце и празнину.
претвара у славуја, кад различит од света
предео ме таче и претвори у прашину.

Ал заборавом свет сам сачувао и чувам
за сва времена од времена и праха.
О где су та места када ветар дува
и пустош помера? Где звезда моја плаха?

Нискости узалуд чезну песму! Читам
на коленима предео који се отвара
у бићу у камену празном где је скрита
последња звезда чији сјај не вара.

AWARENESS OF OBLIVION

Hope is a luxury. Eternal night in blood is
Threatening the imagined eye with a blind wall.
O dark fire behind itself, that I kiss
As if I were the first to so kiss, I can't recall.

Don't I know what I knew? Know what I'll know?
A lonesome skeleton a long-lost name
Wonderfully harmonized with the emptiness that now
Recalls barren flowers and winter's bane.

I am the distressed lover of that flowering swirl
That lures the sun from me and turns emptiness
Into a nightingale, when different from the world
One region touches me, reduces me to dust.

But I have saved the world with oblivion
And protect it from time and dust forever.
O where are those places when a howling wind
Shifts the wasteland? Where's my quiet star?

Low things long for a poem in vain! I read
On my lap a region that has been cast
Into being in an empty stone where the last
Star is hidden, whose splendor does not deceive.

ФЕНИКС (II)

Смрћу измењена камен отвара
Празно поље дозива гласом умири мора
Једина птица што саму себе ствара
Из пепела злих вести и празних договора.

Она је рачунање инспирисано звездама
Сјај који руку срце и ум спаја
Она је цвет што процвета ал утаја
Пределу име. Пева из незнана.

Једина уме да пепео победи
И да из ватре изнесе свој глас
Обећана у одговору на пакао лети
Сама у себи и чека свој час.

PHOENIX (II)

Changed by death it now opens the stone
Calms the sea, summons an empty field
The only bird that creates itself, grown
From the ashes of evil tidings and a voided deal.

It is the inspired calculus of stars, real
Splendor that binds hand, heart, mind, bone
It is the flower that blossoms but will conceal
The name of the region. It sings from the unknown.

It alone can conquer ashes, alone,
And bring forth its voice from the fire
Promised in reply it flies to hell alone
In itself and awaits the tolling of its hour.

ЛАУДА

LAUDA

1959.

ЛАУДА

Најлепше певају заблуде. О, вали,
Римује се море! Тад смо на жал пали.
Мало је имена исписаних на води.
Сви пузе, ил лете, ал мало ко броди
Гордијим морем опасној слободи.
Дан је у себи ноћ, а сунце пали.

Изгуби пут ако путовању смета.
Ах што је лепо и опасно: цветрадицвета!
Посвета горкој звезди уврх лета
Лековити речник биља у ували.

Кроз потајне горе горен лек ти је.
Да земљу земљом љубиш век ти је.
Ал ако је у очи пољубиш нек ти је
Прозрачан пољубац ко празни кристали.

LAUDA

Misconceptions sing most beautifully. O wave speech
In a rhyming sea! We then fell on a pebble beach.

There are few names written in water. One
And all fly or crawl, but few master
The heady seas of dangerous freedom.
Day is night within, and the sun sets fire.

Abandon the road if the trip's a mistake.
Ah, so pleasant and dangerous: flowerforflowerssake!
To the bitter star at the zenith of its flight, bestow
A healing lexicon of herbs gathered in a cove.

Your bitter medicine is secret highland turf.
Your destiny is to kiss the earth with earth.
But if you kiss her eyes, may your kiss fall
As transparently as empty crystal.

БАЛАТА

Слепилом претећи,
Звезду ми са чела не могу да излече.
Охоли стоје док мудраци клече
Пред птицом коју не умем изрећи.

Ја гледам оним што видех, о дани,
Над којима блиста
Сличност сунца са сунцем од лани.

А тај што спава ватру, издајнички глуми
Сјај аметиста
И пепео без извињења шуми.

Помири се са собом. Пада вече.
Љубав умире од твога додира.
Све видљиво је ђаво. На прагу немира
Охоли стоје док мудраци клече.

BALLAD

Threatening blindness, they cannot heal
The star lodged here in my brow,
The conceited stand while sages kneel
Before the bird I cannot say aloud.

I look with what I saw, O days
On which blaze
A likeness of the sun with the sun of yesterdays.

And he who sleeps fire, traitorously acts
The splendor of amethysts
And ashes rustle without regrets.

Make peace with yourself. Night is falling.
Love dies from your touch. Everything
Visible is the devil. On the verge of upheaval
The conceited stand while sages kneel.

БАЛАДА

Охридским трубадорима

Мудрости, неискусно свићу зоре.
На обичне речи више немам право!
Моје се срце гаси, очи горе.
Певајте, дивни старци, док над главом
Распрскавају се звезде као метафоре!
Што је високо ишчезне, што је ниско иструли.
Птицо, довешћу те до речи. Ал врати
Позајмљени пламен. Пепео не хули.
У туђем смо срцу своје срце чули.
Исто је певати и умирати.

Сунце је реч која не уме да сија.
Савест не уме да пева, јер се боји
Осетљиве празнине. Крадљивци визија,
Орлови, изнутра кљују ме. Ја стојим
Прикован за стену која не постоји.
Звездама смо потписали превару
Невидљиве ноћи, тим црње. Упамти
Тај пад у живот ко доказ твом жару.
Кад мастило сазре у крв, сви ће знати
Да исто је певати и умирати.

Мудрости, јачи ће први посустати!
Само ниткови знају шта је поезија,
Крадљивци ватре, нимало умиљати,
Везани за јарбол лађе коју прати
Подводна песма јавом опаснија.
Онесвешћено сунце у зрелом воћу ће знати

128

BALLADE

for the troubadours of Ohrid

O wisdom, the untaught glimmer of sunrise.
I lost my right to use ordinary words!
My heart is a dying fire and my eyes
Burn. Sing, O glorious elders,
While stars like metaphors burst! What's
High vanishes; what is low rots.
Bird, I will lead you to words. But surrender
The borrowed flame. Ashes do not profane.
We heard our heart beat in a stranger.
To sing and to die is the same.

Sun is a word that cannot cast beams.
Conscience cannot sing, because it fears
Delicate voids. Eagles, vision thieves,
Are pecking away at my flesh inside. Here
I'm shackled to a boulder that does not exist.
With stars we signed invisible night's grift,
Now darker for it. Remember well
That fall into life as lasting proof of your flame.
When ink ripens into blood, everyone will
Know that to sing and to die is the same.

O wisdom, the stronger first concedes!
Only low-lifes know what poetry means,
Thieves of fire, utterly unlovely,
Are tied to the mast of a ship in pursuit
Of an undersea song more dangerous than reality.
The sun, knocked out in ripe fruit,

Да замени пољубац што пепео одмара.
Ал нико после нас неће имати
Снагу која се славујима удвара
Кад исто је певати и умирати.

Смртоносан је живот, ал смрти одолева.
Једна страшна болест по мени ће се звати.
Много смо патили. И, ево, сад пева
Припитомљени пакао. Нек срце не оклева.
Исто је певати и умирати.

Can replace a kiss that puts ashes to eternal
Rest. No one following us will claim
The strength to serenade the nightingale
When to sing and to die is the same.

Life resists death, but is deadly.
A terrible disease will be named after me.
We've suffered a lot. Hell, now tame,
Sings. Let the heart not waver — steady!
To sing and to die is the same.

МОРЕ ПРЕ НЕГО УСНИМ

Свет нестаје полако. Загледани сви су
у лажљиво време на зиду: о хајдемо!
Границе у којима живимо нису
границе у којима умиремо.
Опора ноћи мртва тела,
мртво је срце ал остају дубине.
Ноћас би вода саму себе хтела
да испије до дна и да отпочине.

Путуј док још има света и сазнања:
бићеш леп од прашине, спознаћеш прах и сјај.
Ослепи својим корачајући путем, ал знај:
лажно је сунце, истинита је његова путања.
Нек трговци временом плове са воском у ушима,
ти смело слушај како певају пустиње,
док клече беле звезде пред затвореним морем и има
у теби снаге која те распиње.

Празнино, како су звезда мале!
Твој сан без тела, без ноћи ноћ,
придев је чистог сунца пун похвале.
То што те видим је л моја ил твоја моћ?

Прозирна ограда коју сјај савлада,
пуста провидности које ме страх хвата,
твој цвет је једини звезда изнад града,
твоја узалудност од чистога злата!

Свет нестаје полако, тужни свет.
Ко ће наше срце и кости да сахрани
тамо где не допире памћење, покрет

THE SEA BEFORE I START DREAMING

The world vanishes slowly. People can go
Stare at false time on the wall: O let's go!
The boundaries in which we live our lives
Are not the boundaries in which we die.
A dead body, pungent night,
The heart is dead but depth will persist.
Water would like to drink itself tonight
Down to the very bottom, then stop, rest.

Travel as long as there's world and knowledge for you:
May dust beautify you; know ashes and splendor.
Go blindly down your road, but remember:
The sun is false, but its course is true.
Let merchants of time sail with ears sealed
With wax. Listen bravely to the singing desert
While white stars, before an enclosed sea, kneel
And you've still got strength that tears you apart.

O emptiness, how small are the stars!
Your dream without body, night without night,
Is an adjective full of praise to pure sunlight.
The fact that I see you, is it my power or yours?

Transparent enclosure conquered by splendor,
Raw transparence that frightens me more,
Your flower is a solitary star above the city,
Your futility is pure gold! Futility!

The world vanishes slowly, the sad world.
Who will bury us heart and bone,
Where memory does not reach, where the twirl

где нас не умножава и не понављају дани!
Ишчупајте ми језик и ставите цвет:
Почиње лутање кроз светлост. Речи заустави!
Сутра ће сигурно и кукавице моћи
оно што данас могу само храбри и *прави*
који су у простору између нас и ноћи
нашли дивне разлоге другачије љубави.

Свет нестаје. А ми верујемо свом жестином
у мисао коју још не мисли нико,
у празно место, у пену када с празнином
помеша се море и огласи риком.

Of movement won't multiply us or days come and go!
Rip out my tongue and there plant a flower:
Stop the words! I'm lost in a luminous shower.
Tomorrow even cowards will be able to do
What today only the brave and *just* can do
Who, in the gap between us and the night above,
Find glorious reasons for different love.

The world is vanishing. But we fiercely believe
In an idea no one has thought of yet, that soars
In empty space, in the sea foam when the sea
Mingles with the void — and roars.

О ПЕСНИЧКОЈ УМЕТНОСТИ

Поезија и онтологија
Херметичка песма
Поезија и истина

THE ART OF POETRY

Poetry and Ontology
The Hermetic Poem
Poetry and Truth

ПОЕЗИЈА И ОНТОЛОГИЈА

Poésie est ontologie.
Jacques Maritain

У песми речи морају да постигну своју властиту реалност. То значи да нас песма мора ослободити присуства ствари, које треба само да се представе и одмах затим ишчезну, као мирис. У томе смислу песничка слика је почетак одсутности ствари и света, а метафора и алегорија суштинско одређивање те настале празнине. Тако живот и свет бивају замењени поезијом. Али исто тако, само на овај начин, поезија може стварно постати свет и живот. Песничка слика негира саму себе и оспорава се. Поезија постаје негативна онтологија. Оно што се мисли и каже узима се као нешто стварно, али стварно у својој одсутности, која је присутност бескрајно удаљена. Моћи се удаљити и при томе остати веран ономе од чега се удаљило, значи моћи бити песник. Јер поезија у ствари сећање, песник је онај који се сећа онога што је сада, а што би га, као такво, као чиста непосредност убило. Заиста, за песника не постоји садашњост; постоји само оно што ће бити и оно што је већ било. Тај празни простор, то безвреме, између два времена, то је поетски простор, облик успомене, која чека да буде испуњена. Само у том вакууму речи могу бити истинске и истинскије од свега стварног. У тој песничкој празнини реч вишња процвета лепше него што ће икада цветати вишња на овој земљи. То је оно место где је музика јача од стварностии име веће од ствари коју претпоставља. Само на овом пустом месту могућа је

138

POETRY AND ONTOLOGY

Poésie est ontologie.
Jacques Maritain

Words must achieve their own proper reality in a poem. This means the poem must liberate us from the presence of things, which must be introduced only to immediately thereafter vanish, like a scent. In this sense, the poetic image is the beginning of the absence of things in the world, while metaphor and allegory remain as the essential orientation for the incipient emptiness. In this way, life and the world are replaced by poetry. Likewise, this is the only way that poetry can actually become the world and life. The poetic image negates itself, contradicts itself. Poetry becomes negative ontology. What is thought and said is taken as something real, but real in its own absence, which is a presence endlessly distant. To be able to distance oneself while at the same time remaining faithful to what one has distanced oneself from means to be a poet. For poetry is in fact remembrance, and the poet is the one who recalls what could, such as it is, kill him now as pure directness. Indeed, the present does not exist for the poet; only what will be and what already was exist. This empty space, this not-time, between two other times, is the poetic space, the form of memory, waiting to be filled. It is only in this vacuum that words can be true, truer than anything real. In this poetic emptiness the words *cherry tree* blossoms more beautifully than any earthly cherry tree. This is a place where music is stronger than reality and names are greater than the things they suppose. It is only in this wasteland that the kind of

139

поезија о којој говори Лик Естан, поезија која ствара осет, тако што сама постаје перцептибилна као нешто објективно. Још је Бодлер дефинисао поезију као „перцепцију односа". Али шта то значи: перципирати односе? То значи замишљати ствари у њиховој одсутности, супституисати мртвом метафизичком бићу његово истинско и живо небиће. Узети ствар у њеном небићу, значи удаљавати се од ње, до њеног преображаја, до њене присутности на другом месту. То мањкање ствари у њој самој јесте још неодређени поетски простор. За саму поезију то би значило да је песма бескрајно удаљавање од онога што је у њој. Јер: поезија је осет о томе да су ствари ишчезле. Или, тачније, поезија ствара осет одсутне реалности. Осет који поезија ствара је празнина. Дефиниција поезије као негативне онтологије је противуречна, али није немогућа.

(1958)

140

poetry of which Luc Étienne[1] spoke is possible, poetry that creates a sensation, which itself becomes perceptible as something objective. Even Baudelaire defined poetry as "a perception of correspondences." But what does that mean: perception of correspondences? It means conceiving things in their absence, substituting dead metaphysical being with its true and living non-being. Taking things in their non-being means to distance one's self from it, as far as its transformation, as far as its presence in another place. This missing quality of things in itself is still an indefinite poetic space. For sheer poetry, this means that the poem is endlessly distanced from its content. Because: poetry is a sensation of things having vanished. Or more exactly, poetry creates a sensation of absent reality. The sensation that poetry creates is emptiness. The definition of poetry as negative ontology is contradictory, but not impossible.

---

1. Luc Étienne, pseudonym of Luc Périn (1908–1984), was a French writer and an adherent of Pataphysics, a humorous and parodical term which signifies a philosophy devoted to they study of what lies beyond the realm of metaphysics. Étienne later became a member of the experimental group Oulipo.

Херметичка Песма

Оно што не можемо да изразимо све се више удаљава, али и губи при том свој првобитни смисао неизрецивог и постаје нешто што се може разумети, мада само под претпоставком, као изнутра сажето, неприлагођено ничему споља. Тако настаје херметичка песма. Тамо где престаје, истински почиње. То је тамо где почиње заборав или заборављено сећање, као би рекао Сипервјел. И њен садржај је свет, јединствен, и никад неки други свет, ни када га дух изневери охолошћу и поделама. Али све своје скорашње херметичка песма преуреди изнутра снагом заборава, спајајући различито, раздвајајући једно. Тајна херметичке песме је у томе како она при том остаје непротивуречна и непосредна. Она зна тајну али је никада не каже. И ту почиње одговорност пред собом: како до краја искористити ону недогледну слободу од песника до песме? Како затим песму учинити независном од онога што је изван ње, што није песма, како се ослободити онога од чега се пошло? Савесним и надахнутим истраживањем речи које су преостали део нашега простора и заборава, и веровањем у вербалну јаву. Херметичка песма је настала из непоколебљиве вере у људски говор, који је највећа и неотуђива људска стварност. Све је замењено речима и ништа при том није изгубљено. Реч „ружа", на пример, уместо свих краткотрајних баштенских ружа, та реч у песми процвета, и има свој мирис, и боју своју има коју јој дају њени самогласници пуни пигмента које је

THE HERMETIC POEM

That which we cannot express becomes more and more remote, and even loses its own original, inexpressible sense and becomes something capable of being understood, although only as a hypothesis, as if it had been compressed within, inadaptable to anything at all outside itself. This is how the hermetic poem begins. Wherever it ceases to exist, it there begins. There begins oblivion or forgotten memory, as Superveille[2] would say. And its content is the world — unique — and it is never another world, not even when the spirit betrays it with arrogance and classification. But the hermetic poem alters all its imminence internally with the power of oblivion by combining dissimilarities and fragmenting a unity. The secret of the hermetic poem consists in this case in the way it remains uncontradictory and direct. The poem knows the secret but never divulges it. And there begins its responsibility to itself: How to take full advantage of the infinite freedom of the poet in relation to the poem? In addition, how to make the poem independent of what is outside itself, which is not the poem? How does the poem liberate itself from its origins? It sets itself free with a conscientious and inspired investigation of words which are the surviving part of our space, by oblivion, and by belief in verbal reality. The hermetic poem came into existence from an unshakable faith in human speech, which is inalienable, and the greatest human reality. Everything is replaced by words and in this case nothing is lost. The word *rose*, for example — in place of all short-lived garden-variety roses — this word blossoms in a poem, and it

---

2. Jules Superveille (1884–1960), French poet who was born in Uruguay.

открио Рембо, после Малармеа највећи мајстор херметичког стиха. Ова два песника су укунула реч као реч и ствар као ствар. Реч и ствар су прешли у стиху једно у друго. Тако херметичка песма настаје на највећој удаљености од очигледне стварности, своју прошлост губи заувек, постаје заборав, али је баш тиме и присна и дубока. Она не носи своју истину у себи, њој се њена истинитост догађа. Када доживи своју истину, када се према њеној метафоричкој потенциалној стварности постави одговарајућа објективна ситуација, када песма добије објективо важење, онда она престаје да буде херметичка, али своју способност да то опет постане не губи никада. Свака песма своју истину доживи. Исто је тако да свака песма трајне уметничке вредности преживи своју истину, она се онда затвара у своју целину и чека нови моменат своје истинитости. Херметичка песма је истинита и пре и после своје очигледне истинитости. То је, у ствари, остварено поверење. Никакав дисконтинуитет између песника и света који је изван њега, никакво отуђење, коме ништа људско не може да измакне, осим онога што се отуђило у себи самом, што је постало своја сопствена суштина. Ево шта то значи: песма без другог бога осим свога блага. Песма није живот, нити песников живот, она је паралелна животу. Она је мирење са животом далеко од њега. Она саму себе ствара, преуређује се изнутра, својим властитим крвотоком се храни спречава да ишта у њу уђе и одузме јој дах. Заштићена је од корозије времена. Споља је фосил, изнутра живи организам. Ничему не може да служи, јер све њој служи (песнику се мора дозволити овакво схватање). То ипак не значи да је песма сама себи циљ. Она је циљ за нас, али она сама нема свој циљ, јер га је остварила сама у себи. Себе никада не изневери, али изневери често свога песника, па се неком другом прикаже каквом је песник никада није занишљао. Кратко речено: све је у самој песми, али тако да није самим песником постављено.

possesses its own fragrance and its own color, which bestows on its pigmentation rich vowels that Rimbaud uncovered, who, after Mallarmé, is the greatest master of hermetic verse. These two poets abolished the word *qua* word and thing *qua* thing. Word and thing have together entered verse, one through the other. This is how the hermetic poem finds its source in the extreme remoteness of self-evident reality; its past is lost forever and enters oblivion, but by the very same token it is intimate and profound. The poem does not bear its truth within itself; its truth occurs. When the poem experiences its own truth, when reality sets a corresponding objective situation against the poem's metaphorical potential, and when the poem achieves objective validity, the poem then ceases to be hermetic, but it never loses the ability to once again become hermetic. Each poem experiences its truth. In the same manner, every poem of permanent artistic value survives by means of its truth; then the poem withdraws into its wholeness and awaits the new moment of veridicality. The hermetic poem is true before and after its obvious truthfulness. It is, in fact, the establishment of trust. There is no discontinuity whatsoever between the poet and the world, which exists outside himself, nor any alienation, which nothing human is able to escape, except that which is alienated in its own self, which has become its own proper essence. This is what it means: a poem with no god other than its own wealth. A poem is not life, nor is it a poet's life; it is parallel to life. It is a reconciliation with life remote from the poem. The poem creates itself, it alters itself from within, it nourishes itself with its own proper circulation of blood, it prevents anything at all from entering it and taking its breath away. It is shielded from time's corrosion. Outside, it is a fossil; inside, it is a living organism. It serves no purpose at all, because everything serves it (a poet must be allowed to understand it in this fashion). This, nevertheless, does not mean that the poem serves as its own goal. It is a goal for us, but it does not have its own goal, for the poem has created it in itself. The poem never betrays itself, but it often betrays its poet, so that it presents itself to another in a manner that the poet

Ништа, међутим, у њој неће наћи онај ко не уме да зарони. То је као река која је пловна само у дубини. Херметичка песма је, дакле, дубока и непосредна. У њој су отклоњене све противуречности, наиме, њена противуречност је позитивно решена у корист њене непосредности и целовитости. Зато она не може да објашњава свет, она може само да га слути. На овом месту поезија одбија да буде ишта друго. Њене слике се нигде не могу видети, бар не тамо где је све тако видно, њене речи се не могу чути тамо где нема слутње и видовитости, њене облици се више опажају него што су.

could not have imagined. Briefly stated: everything is in the poem itself, but in such a way that is not determined exclusively by the poet. He who is unable to plunge into the depth of the poem, however, will find nothing. It is like a great river navigable only at great depth. The hermetic poem is, therefore, at once profound and direct. In it, all contradiction is removed, namely its own contradiction is positively resolved in favor of directness and wholeness. That is why it cannot explain the world; it can only intuit its presence. In this place, poetry refuses to be anything else. Its images are nowhere to be seen, least of all where they are evident; its words cannot be heard where there is no intuition and clairvoyance; its forms become more perceptible than they really are.

ПОЕЗИЈА И ИСТИНА

Поезија не сме бити заслепњена истином као својим садржајем. Јер песма не казује истину; она је слути. Тиме што је слути, она је жели изван себе, а не у себи. Циљ не може бити „овде" већ „тамо" јер претпоставља тежњу. Оно што песма хоће да каже, мора да буде оно што песма тражи, оно што се у њој самој изгубило. Песма је заборав и од заборава. Она не казује садржај, већ мутно досеже.

Уметнички садржај, коме је циљ песничко казивање, је изван облика тога казивања и огледа се у њему као небо у води; огледа се, али није у њему. Када говоримо о садржају у песми, то је као када говоримо о звездама у води. А вода је—празна. Тако облик постаје суштина, принцип и посебни начин гледања на свет. Он отуђује садржај, али га се не одриче. За песму можемо рећи да је њена истина изван ње као облика. То је потребно да би песма трајала, да би се премештала сама у себи, час ближа, час даља својој властитој истинитости да би, на крају, поседовала вероватноћу којом ће надживети властиту првобитну истину. У томе смислу Т.С. Елиот има право када за Шекспира каже: „Ја бих рекао да ни једна Шекспирова драма нема смисао, иако би погрешно било тврђење да је Шекспирова драма бесмислена."

Поезија је вероватна и истинита ако собом омогућава истину која је изван ње. Тиме што стављамо истину изван поезије постижемо ослобо-ђење поезије од мучних могућности гномике и

POETRY AND TRUTH

Poetry must not be blinded by truth as it is by its content. For the poem does not state the truth; it intuits the truth. The poem wants to find the means by which it may intuit the truth outside itself, not within itself. The goal cannot be "here" but "there" because it presupposes aspiration. What the poem wants to say must be what the poem is seeking to find, what has been lost in the poem itself. The poem is even the forgetting of oblivion. It does not state its content, but accesses it obscurely.

The artistic content, whose aim is poetic statement, lies outside the form of such expression and reflects itself in it just as sky reflects off water; it is reflected by the poem, but is not in the poem. When we speak about the content of a poem, it is as if we were to speak of stars in water. But the water is — empty. This is how form becomes the essence, the principle, and a unique way of looking at the world. It alienates content, but does not reject it. For the poem, we may say that its truth exits outside itself just as it exists outside form. This is necessary so that the poem is lasting, so that it travels within itself alone, now closer, now farther from its own proper veridicity so that it may, in the end, possess a verisimilitude by which it will outlive its own proper original truth. In that sense, T.S. Eliot is right when he says with regard to Shakespeare: "I would suggest that none of the plays of Shakespeare has a 'meaning', although it would be equally false to say that a play of Shakespeare is meaningless."[3]

---

3. *The Sacred Wood: Essays on Poetry and Criticism*, 1922.

убитачних рационалистичких стега, омогућавамо јој другачије организовање језика и средства и гарантујемо јој специфични облик и могућност бескрајног и неисцрпивог транспоновања.

Поезија је истина неопходна уколико јој омогућава језик, спасавајући га од конфузије. Међутим, тај језик, који логика и истина пружају поезији, још увек није способан да буде језик поезије која мора изрећи неизрециво. Потребно је постићи један језик који истине не могу исцрпити. Тај „језик је могућ—вели Морис Бланшо—само у перспективи једног стања нејезика". То стање нејезика се очитује у томе што реч тежи да се изгуби, да се удаљи у своју властиту недовољност. Међутим, језик, у својим границама, схватајући своју недовољност коју користи као изражајну способност, постаје могућ. Језик који не уме да користи празнину у речима и између речи брзо се исцрпе. Речи почињу да следе саме себе и јавља се највећа опасност поезије, вербализам. Дакле, већ по природи свога језика поезије не може у себи носити истину; она је може само подносити изван себе, одржавајући је. Велика је она поезија која највише истина може поднети, а да се при том битно не измени. Зато су велика дела неисцрпљива и трајна, па их свака генерација открива за себе на свој начин.

Одсуство истине у песми, које одређује обим истине и мисаони радиус песме, не само да не чини песму нејасном и произвољном, него, напротив, будући да то *активно*, стваралачко одсуство истиње јесте гаранција њеног присуства на другом месту, захтева толику прецизност, да оно што се искаже постаје као нешто извањско и у односу на себе и у односу на оно што казује. Још једном се испољава, да истина заиста омогућава језик и песму, али не својим садржајем, него својом недовољношћу и одсуством која од језика захтева строгост, усмерену прилагодљивост и непропадљивост.

Кад говоримо о истини изван песме, ми то узимамо сасвим условно. Значи не у онтолошком

Poetry is credible and truthful if it makes possible *per se* the truth that lies outside itself. By placing truth outside poetry, we approach the liberation of poetry from the painful possibilities of proverbs and the supervised thinking of fatal rationality; we enable poetry to deploy a different organization of language and means and we guarantee for it a specific form and possibility of eternal and inexhaustible transposition.

Truth is indispensable to poetry to the extent that language makes it possible for it to be so, thus truth rescues poetry from confusion. Such language, however, which logic and truth offer to poetry, is still not capable of being the language of poetry, which must say the unsayable. It is necessary to achieve a language that truths cannot exhaust. This "language is possible," says Maurice Blanchot,[4] "only from the perspective of a state of non-language." This state of non-language is expressed when a word strives for its own disappearance, strives to withdraw into its own proper insufficiency. The language, however, within its own limits, recognizing its own proper insufficiencies, and using them as an expressive quality, becomes possible. Language that is not able to use the emptiness in words and between words quickly exhausts itself. Words begin to succeed one another and the greatest threat to poetry appears: verbosity. Therefore, according to the very nature of its own proper language, poetry is unable to bear truth in itself; it can only sustain it outside itself, uphold it. Great is the poetry that is able to sustain the greatest number of truths, but without being fundamentally transformed. That is why great works are inexhaustible and lasting, and each new generation discovers them in its own fashion.

The absence of truth in a poem, which determines the scope of the truth and the poem's radius of thought, does not make the poem obscure and arbitrary; rather, on the contrary,

---

4. Maurice Blanchot (1907–2003), French journalist, literary critic, novelist and philosopher. He was inspired by the Symbolist poet Stéphane Mallarmé to regard literary language as anti-realist and set apart from ordinary experience. He treated literary language as a double negation that compels a literary audience to experience the absence of things disguised by words.

смислу истине пре или после ствари, већ у смислу неисцрпивих могућности песме да себе јасно и непосредно сазнаје истинама које нису њоме буквално обухваћене. Са тога становишта, за разлику од науке, поезија не дели своја уверења на лажна и истинита по себи. Јер лаж није лаж по ономе што казује, већ по ономе што није рекла. У поезији се јавља овај парадокс: поезија је истинита по ономе што није рекла, а узела је то за своју богату и тамну позадину. Она је истинита уколико је „лажна”.

Иако је истина изван песме, песма је обухваћена истином на тај начин што је њоме осветљена. Истинитост идеје, којом је песма осветљена као нечим спољним, јесте двострука сумња истине: у односу на идеју и у односу на песму. Песма стално сумња у себе и тако траје. А истина која не сумња у себе није истинитољубива и далеко је од сваке поезије.

since the *active*, creative absence of truth is a guarantee of its presence elsewhere, it then requires such precision that what is expressed resembles something exterior both in relation to itself and to what it expresses. Once again it turns out that truth does indeed make language and poetry possible, not with its content, but instead with its insufficiency and absence, which demands severity, measured adaptability, and indestructibility from language.

When we speak of truth outside a poem, we take it in a completely conditional sense. This means, not in an ontological sense of truth before or after things, but in the sense of the poem's inexhaustible possibilities to find out truths about itself clearly and directly, which are not literally encompassed by it. From this standpoint, poetry, as opposed to science, does not categorize its certainties as true or false *per se*. Because a lie is not a lie according to what it says, but according to what it does not say. In poetry, this paradox appears: poetry is truthful according to what it did not say, but it takes instead the truth as its own dark, rich backdrop. Poetry is true to the extent that it is "false."

Even though the truth is outside the poem, the poem is encompassed by truth the same way it is enlightened by it. The truthfulness of the idea, which illuminates the poem as if by an external element, is a double-tracked uncertainty of the truth: in relation to the idea and to the poem. The poem always places itself under suspicion and that is why it is lasting. But truth that does not place itself under suspicion is not truth-loving and is remote from all poetry.

ENDNOTES

23   THE CONSCIOUSNESS OF THE POEM (1957) — Miljković dedicated these three poems to Alain Bosquet (1919–1998), the French Surrealist poet. Miljković establishes his major themes: nothingness as a canvas for life; the transformative power of fire; the poet's function as a mediating identity between ephemeral life and timelessness; the meaninglessness of life without poetry; and the majesty and power of speech.

31   THE ANGEL OF ARILJE (1958) — Arilje is a small town in southwestern Serbia, which in the fifteenth century became the seat of the Metropolitan. The renowned church of Sveti Arilje, whose frescoes date from 1296, was built by King Dragutin.

     Miljković develops the motif of "nothing is harder than looking at eternity from a wall," which he found in the poem *Kalenić* by Vasko Popa.

43   *Matejče* is the name of a monastery built high in the mountains on the Kumanovo side of Skopska Crna Gora, which saddles Serbia and Macedonia. Built by Czar Dušan near the end of his reign, it is one of the most important shrines among Orthodox Macedonians and Serbs. The hagiographic icons, which date from the fourteenth century, were damaged in November 2001 when the Albanian Kosovo Liberation Army took control of the church complex, set fire to the interior, and defaced the surviving icons.

59   *Jugo* (pronounced 'yugo') is the name of a humid and depressing wind that blows from the south along the Dalmatian coast. People are said to be more likely to suffer from depression or commit crimes under its influence.

63   THE WILD DRAKE OF GOLDEN WING (1959) is a cycle of eleven hermetic poems. *Utva zlatokrila*, or "the wild duck of golden wing," is the ruddy shelduck (*Casarca ferruginea*), which is frequently mentioned in Serbian folk epics. The wild duck (*utva*) suggests a phantom or ghost (*utvara*).

     The eleven poems that form *The Wild Drake of Golden Wing* open a dialogue launched from the mythic-historic origins of Serbian traditions. Miljković's voice rises to a new register. The tone of religious poetry pervades these Orphic poems, whose themes hover just beyond comprehension. This cycle contains some of Miljković's finest work. The poems' often untranslatable titles (richly associative in Serbian cultural references) alone point to the origin of their elusive themes. Their form is strict: each poem has the same number of verses (sixteen), and each poem surges from the same visionary stream.

65   *Shepherd's Flute*, or *Frula*, sets the tone for the new cycle. The flute is, of course, a folk instrument. To grasp its extreme antiquity, a bone flute was found at the Hohle Fels Cave west of Ulm in 2009. Radio carbon dating revealed it to be 35,000 years old.

     Smederevo is a city south of Belgrade with an important mediaeval fortress that was built by Prince Đurađ Branković in 1430. Smederevo served as the capital of Serbia from 1430 to 1439, until it was conquered by the Ottomans after a two-month siege, which marked the fall of the Serbian kingdom.

67   *Gojkovica* refers to *Zidanje Skadra*, a beautiful tragic poem, which was preserved by Vuk Karadzić in his collection of oral epic poetry; it concerns the construction of a fortress in Skadar (today part of Albania) on the Bojana River. Three noble brothers, the Mrnjačevići, undertook the construction of a fortress, but their efforts failed because whatever they built during the day was dismantled at night by a fairy associated with the Bojana. In order to thwart the fairy's destructive force, the brothers decided to entomb a chaste and pure woman in the walls of the fortress as a sacrifice. The brothers agreed that the first young woman to bring breakfast in the morning would be the sacrificial victim. All three brothers further agreed not to mention the matter to their wives in order to let chance decide. But two of them — Vukašin, the eldest, and Ugleša, the middle brother — instructed their wives to make up excuses and not bring breakfast. Only the youngest brother, Gojko, was honest, and said nothing to his wife. So when his wife, Gojkovica, arrived in the morning with breakfast, she was entombed in the fortress walls. Miljković incorporated motifs from the end of the poem. For instance, Gojkovica begs for her life as the masons build mercilessly around her. One by one, her limbs are immured. She finally begs to have her eyes left free so that she may at least see the castle. Finally, her hands and breasts are left free so that she may feed her infant. To this day, any large-scale undertaking that goes awry in the Balkans is referred to as *zidanje Skadra*.

Goethe considered this poem, which interested him at the time because he was writing his own version of *Iphigeneia*, to be a relic of heathen sacrifice. The traditional Serbian interpretation views it as a tale of the sacrifice of innocents at the hands of the unjust. Of the three brothers, Vukašin and Ugleša are fourteenth-century historical figures; however, there is no historical evidence concerning Gojko, who may be a fictional character.

69   The elderberry is a shrub from whose shoots shepherds and children fashioned flutes. The poem refers to a folktale in Vuk Karadzić's collection called *U car Trojana kozje uši*, which concerns the Emperor Trajan's barber, who alone was privy to the emperor's secret — that he had pointed ears resembling those of a goat. The barber was tormented by this knowledge after he had been sworn to lifelong secrecy, so he dug a hole in the earth and called into it three times: "The emperor has pointed ears like those of a goat!" Then the barber filled the hole with earth. The next year, an elderberry grew on that very spot, and when children fashioned flutes from the shoots of the elderberry, the only melody they could play was "The emperor has pointed ears like those of a goat!"

71   *Bolani Dojčin* is also a character from Vuk Karadzić's collection of Serbian epic poetry. His name means Dojčin the Invalid, because he had been bedridden for so long that people thought that he had already died. A Turk arrived in Solun (Thessaloniki, Greece) and demanded that tribute (*jizya*, or

protection money extorted from non-Muslims) be paid to him in money as well as with women for his harem. No resistance was offered to the Turk's demands until Dojčin's family was in turn summoned. His sister's tears roused him from his sickbed as she related the Turk's demands. Dojčin, who was once a celebrated battlefield hero, became enraged, leapt from his sickbed, and sent his mighty steed to the blacksmith to be shod. The blacksmith, ignorant of the fact that Dojčin was still alive, propositioned Dojčin's wife. Indignant, she returned to Dojčin and revealed what had taken place. Dojčin rode the unshod horse to the Turk's encampment, where the Turk, upon recognizing Dojčin, immediately became afraid to fight him, so instead he invited him to drink. Dojčin was unswayed and attacked the Turk, who fled ("conquerors flee"), but Dojčin caught the Turk, then slew and beheaded him. Next, Dojčin returned to settle scores with the blacksmith, and beheaded him also. He presented the "decapitated heads" to his wife and sister as not only expiation of the crime committed against them, but also as proof that they would be left alone in the future. Dojčin died the next day.

Such epic tales of revenge sustained the Serbs during the five-hundred-year period of Ottoman captivity. Literary critics and historians are divided over the question of whether the cheerful hero in the national folk poems *Bolani Dojčin* and *Vino pije Dojčin Petar varadinski ban* is identical to the historical Petar Dojčin, a Hungarian national hero who delivered a number of stinging defeats to Ottoman forces in Vojvodina, Serbia, and Bosnia in the late fifteenth century.

73 *Milutin the Servant* refers to the courier who brings the disastrous news that the Battle of Kosovo has been lost, that all the soldiers have been killed, and that Vuk Branković betrayed the Serbian cause. The key phrase is "lost battles."

77 *The World of Perpetual Darkness* is a tale of greed. "Once upon a time, there was a king, who, when he had reached the end of the world with his army, headed for the *tamni vijalet*, the dark province, where nothing can ever be seen. Not knowing how they were going to return, they left behind colts so that the mares that gave birth to them would help them find their way back. When they entered the dark province and began exploring it, they felt some kind of small rocks beneath their feet, when a voice from the darkness intoned: *Whosoever takes these stones will regret it; and whosoever does not take these stones will regret it!* Some of the men took a stone, while others did not. When they returned from the darkness into the world, they realized that these were all precious stones. Those who did not take the stones began to rue the fact that they had not, and those who had taken only one regretted that they had not taken more" (from *Od zlata jabuka*, by Vasko Popa, Mlado Pokolenje: Belgrade, 1971). Miloš Lužanin (who assisted in this translation of *Fire and Nothing*) relates that during his childhood he heard merchants of the four seasons cry in Bosnian bazaars, '*Ko kupi kajaće se! Ko ne kupi kajaće se!*'

79   *Ravijojla* is the fairy or guardian angel of Marko Kraljević, who was late arriving for the Battle of Kosovo (1389), which had already been lost. Many pre-Kosovo epic cycles concern him. He is the heroic Serb *par excellence*: he suffers injustice, has confidence in his manhood, is a drinker, is quick to anger but he is just and unselfish. The *Vila Ravijojla*, in addition to being his guardian angel, is also his 'blood sister,' established in ceremony like for blood brotherhood. This involves two friends cutting their palms and executing a firm handshake that allows their blood to mingle so that they symbolically become kin, or relatives of choice, even closer than a *kum* (a godfather). Tin Ujević (1891–1955), is the source of the quotation that introduces the poem.

81   The *kolo* is a traditional circle dance performed by Serbs as well as by most other Balkan peoples.

83   *Dodole* are rainmakers or women who sing and dance for rain during periods of drought. This practice is among the oldest customs associated with the *kolo* (or *oro*) and is a surviving remnant of ancient fertility rites. Using the idea of mimetic magic, dancers dressed in green pour water so that the rain may fall and the earth may be fertile. The custom lost its collective social function in the twentieth century and went over to Roma women who perform the rites professionally. *Dodole* were most frequently seen in southern Serbia, around Niš.

85   *Raskovnik* is an imaginary plant that supposedly had the power to open all locks. The word was first recorded by Vuk Karadžić. For Miljković, *raskovnik* is a mediator between being and non-being, and the poem serves not only as the last of this cycle, but also as a prelude to the next poem, *In Praise of Plants*.

87   EULOGIES (1955) is composed of six poems that praise the elements as Heraclitus understood them to be.

97   *Parallel Poem* first appeared in *Delo* 8–9, 1958, with the following note about how the poem should be read: "The poem *Let's go simple waters* ought to be read first, then the second poem parallel to it (*'but no'*), then the first and the second poems should be read together, in such a fashion that the two matching parallel verses are read as one (*'Let's go world such as it is empty and full'*), and finally it is read with a united refrain for both poems (*'Let's go, simple waters'*)."

105   THE PATHOS OF FIRE (1955–1956) is composed of seven poems that explore the theme of rebirth through fire.

124   LAUDA (1959) is a cycle of four hermetic poems in which a new voice emerges from the poet. Miljković brilliantly weaves the themes he has introduced into a fiery climax in his best-known poem from the cycle, *Ballade*, which he dedicated to the troubadours of Ohrid, who inspire a series of associations about the act of poetic composition.

BIBLIOGRAPHY

Сабрана дела Бранко Миљковић, Градина: Ниш, 1972.

Бранко Миљковић у књижевној критици, Градина: Ниш, 1973.

Убијени песник, роман о Бранко Миљковићу, Коста Димитријевић, Прометеј: Београд, 2002.

Бранко Миљковић или неукротива реч, Петар Џаџић, Просвета: Београд, 1965.

Орфејев двојник, Радивоје Микић, Народна Књига/ Алфа, Београд 2002.

Песников узлет, Видосав Петровић, Просвета: Ниш, 1993.

Бранко Миљковић у сећању савременика, Видосав Петровић, Просвета: Ниш, 1995.

Приц песника, животопис Бранка Миљковића, Радован Поповић, Просвета: Ниш, 2002.

Éloge de feu, Poèmes choisis et postface par Jezdimir Radenović, Traduit du serbe par Zorica Terzić, TRANSITION, 1998, Paris

MANSARDA
Danilo Kiš, translated by John K. Cox
112 pages.
ISBN: 978-0-9678893-7-5
Price: $19.95

Mansarda is the first novel by the renowned Serbian author Danilo Kiš (1935–1989). Written in 1960, published in 1962, and set in contemporary Belgrade, *Mansarda* explores the relationship of a young man, known only as Orpheus, to the art of writing; it also tracks the personal relationships among a colorful cast of characters with nicknames such as Eurydice, Mary Magdalene, Tam-Tam, and Billy Wise Ass. Rich with references to music, painting, philosophy, and gastronomy, as well as to literature, this bohemian *Bildungsroman* provides important perspectives on the evolution of Kiš as a writer. It is a laboratory of techniques and the anvil of an artistic ethos for Kiš. In other words, as a work of art, *Mansarda* is at once a depiction of life in bohemian Belgrade, a register of stylistic devices and themes that would recur throughout Kiš' *oeuvre*, and an account of one young man's quest to work out one's artistic ethos and approach to representation by balancing art, life, and text. These three aspects of *Mansarda* add up to an admirable first novel, indeed.

> — *John K. Cox, Translator, Author of The History of Serbia (2002) and Slovenia: Evolving Loyalties (2005)*

***

"That's bound be some kind of neo-realism," he said. "Dirty, slobbery children, and laundry strung up in the narrow gaps between the buildings of some suburb, and dockside dives, shit-faced railroad switchmen, hookers...."
"There is some of that in it," I responded. "But it remains a horribly self-centered book...." (Mansarda, p. 78)

Mansarda is Danilo Kiš' first novel in post-WWII socialist Yugoslavia, where he was relatively free to experiment with European literary forms and trends. Yet, *Mansarda* is the embryo of Kiš' later work, which is largely concerned with the question of *engagé* literature, which he would fully develop in his later essays in response to a conflict with the Yugoslav literary establishment of the late 1970s. Although regularly interpreted as a staunch critic of Communist totalitarianism, Kiš' universal appeal lies in the fact that his criticism is directed at any system of values that silences freedom of expression as well as any literature that is subservient to and acts as justification for politics. Kiš, who defends the independence of literature, is as relevant today as he was a half century ago.

— *Tatjana Aleksić, Editor of Mythistory and Narratives of the Nation in the Balkans (2007)*

BAD BLOOD
Borisav Stanković
246 pages
ISBN: 978-0-9678893-4-4
Price: $19.95

Borisav Stanković's classic novel, *Bad Blood* (Nečista krv, 1910), tells the tragic story of Sofka, a woman of otherworldly beauty, who marries a twelve-year-old boy in order to save her family from financial ruin. *Bad Blood* is regarded as the first Serbian psychological novel, and it left a profound influence on writers as diverse as Meša Selimović, Ivo Andrić, Dobrica Ćosić and Vuk Drašković.

Sofka, a legendary beauty, enters a society that is going to destroy her. Her apparently civilized parents prove themselves to be the villains of her fate when they arrange, for a price, an incestuous marriage into a primitive country family to protect their own selfish interests. Only love and death manage to hold the world together. Sofka in the end takes her revenge on life by giving birth to three stunted, semi-retarded children, who, she earnestly hopes, will curse her name one day and regret the fact that they were ever born.

Borisav Stanković belongs to the tradition of Serbian storytellers who described the regions where they were born and raised, which in his case was Vranje, an obscure south Serbian market town close to Macedonia. Under Turkish rule, a Serbian upper class had formed which upheld the unquestioned tradition of Turkish feudal and caste relations between the estate owners and the serfs. This class dictated a patriarchal way of life to the extended family with coarse mediaeval laws and customs that not only regulated morality, but forged the chains of psychic slavery as well.

Stanković was born in 1876. His family was once wealthy, but had long since fallen on hard times. His father died when he was five, and his mother when he was seven. He was raised by his grandmother, Zlata, who enchanted him with stories from Vranje's past; these tales became the source of most of his short stories and novels.

The world that was once Stanković's native Vranje, the world his grandmother depicted in her tales, began to change, and lose its character after the uprisings of 1875-1878. The upheavals accompanying the liberation from Turkish rule changed forever Vranje's feudal society. The agrarian system collapsed, and ties with Turkish commerce, which had been the source of wealth and esteem for the principal mercantile families of the town, were severed.

Oriental traditions collided with Western European ideals. New ideas entered the Balkans: the equality and freedom of individuals, private property in land and commerce, and profit. Former serfs clamored to own the land that they had once worked. The feudal overlords who were unable to cope with the new circumstances, including the former Orthodox elite, abandoned Vranje and sought refuge among their old friends, the Turks. Caste distinctions of gentry and serf disintegrated as their feudal economic basis faded, but as Stanković so poignantly dramatized, they remained in the people's psyche for a long time to come.

KNIFE
Vuk Drašković
434 pages
ISBN: 0-9678893-0-8
Price $24.95

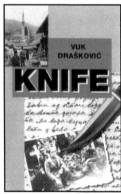

Knife created a furor when it was published in 1982, long before the beginning of the Balkan Wars of Succession. The novel was condemned by the Communist Party and subsequently banned. It is the first of his novels to appear in English.

Alija Osmanović, the protagonist of *Knife*, was orphaned during WWII as an infant. He was raised as a Bosnian Muslim and came to believe that Serbs had killed his family. When, as a young medical student, he goes in search of the identity of his murdered birth-parents, a sense of thwarted justice motivates him, and expresses itself as a burning passion for revenge.

Alija seeks out Sikter Efendi, an eccentric and reclusive Muslim cleric, to help him interpret clues pointing to his identity. Through his mentorship, Alija discovers the truth: that his heritage is Serbian; that he was born not far away but in the neighboring village; and that his adoptive family was guilty of murdering his birth-family. A crisis of identity ensues. Each possible course of action open to him is bad. How is he to go on? Alija's story is counterpointed by Milan Vilenjak's. He has been training all his life to exact revenge from Atif Tanović, an Ustashi who single-handedly murdered Milan's entire family.

But once Milan has the opportunity to end his enemy's life, he recoils, having discovered that Atif is a human being, a man who exists apart from his monstrous acts, a man who is troubled by his bad conscience. Tanović, an avowed war criminal, is a repulsive villain who is to be prosecuted and punished, but Draković persuades us to sympathize with him. Who cannot admire the profound transformation that occurs when Atif argues against war and the slaughter of innocents? Hence, Draković's underlying theme: the act of taking revenge is suicidal.

SONGS OF THE SUN, AND OF LOVE AND DEATH
Jovan Dučić
138 pages
ISBN: 0-9678893-2-4
Price $14.95
A bilingual Serbian and English Edition

Jovan Dučić appeared at a crucial point in the history of Serbian literature, the turn of the century, when the era of Romantic and Realist poetry was coming to a close and another, Modernism, was just beginning. By introducing new themes and sources of inspiration, Dučić was instrumental in setting Serbian poetry on a new course. He was an aesthete, with cultivated, refined tastes and an aristocratic spirit. He is the best known practitioner of *l'art pour l'art* in Serbian literature. In his poetry, he strove for formal excellence expressed through clarity, precision, elegance, musical quality, and picturesque images. His subject matter and unique style reflect the manner of French verse— Parnassian, Symbolist, Decadent. Unlike previous Serbian poets, who were either romantically or realistically oriented, Dučić was attracted to esoteric, sophisticated, thought-provoking, and soul-searching themes, creating his own lonely world of the imagination and reacting to it. His poetry reveals a sensitive artist with a basically pessimistic outlook, for which he has sometimes been criticized; it also reveals his embrace of art for art's sake. His supreme craftsmanship, however, is undeniable.

The poems selected for this bilingual edition, which commemorates the sixtieth anniversary of Dučić's death, represent his finest work.

STONE LULLABY, SELECTED POEMS
Stevan Raičković
128 pages
ISBN:0-9678893-1-6
Price $14.95
A bilingual Serbian and English Edition

Stevan Raičković is much more indebted to his own poetic instinct rather than to any movement or theory. He succeeded in creating a lyric world of birds, rocks and grass, alongside a parallel world of urban alienation and suppressed panic, peopled by the man with an umbrella, the stranger in the park, and the familiar yet enigmatic passer-by. His poems open a world of the eternal present where joy and sorrow are the essential property and matter of human existence.

The fundamental characteristic of Raičković's poetry is spontaneity: resonant and melodic, the poems are frequently written in the manner of a confession or a personal letter sent to a loved one or a friend. Raičković's poems insist on periods of silence and solitude, and give poetry a new sound. The outstanding lyricism of *Song of Silence* (Pesma Tišine, 1952) was immediately noticed, and *Evening Ballads* (1955) is today accepted as a classic work of intimate lyricism. In *Tisa* (1961) Raičković creates variations on the theme of the river Tisa, where he happened to be once again many years later, rehearsing the muffled voices and distant sounds of his childhood. His sonnets, *Stone Lullaby* (Kamena Uspavanka, 1963) showed that Raičković had mastered the sonnet, giving it a new personal tone. In post-WWII Serbian poetry, Raičković is a lyricist of the highest order. Raičković also translated the Shakespeare Sonnets (1966) and those of Petrarch, as well as six Russian poets, including Aleksandar Blok, Josip Mandelstam, Ana Akhmatova, and Boris Pasternak (1970). A ten-volume edition of Raičković's collected works appeared in 1998. He died in 2007 in Belgrade.

THE DECEASED: A COMEDY WITH A PRELUDE AND THREE ACTS

Branislav Nušić
158 pages
ISBN: 0-9678893-3-2
Price $17.95

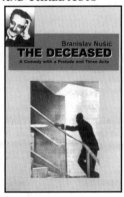

In November 1936, the playwright Bravislav Nušić suffered a heart attack. Doctors worked around the clock to save his life while newspapers prepared his obituary. Nušić was so sick that he was unable to attend the premiere of his latest comedy, *Dr.*, which was being enthusiastically received by both audiences and critics. Nušić, however, not only pulled through, but went on to write *The Deceased* (Pokojnik), his greatest play.

Nušić, who had come to be known as the "Harlequin of Belgrade salons," poked fun at social climbers, impotent patriarchs and schemers; now he revealed the Harlequin's bitter scowl and vented his fury on society. Instead of conducting a series of farces with the soft rubber baton of humor, he took up the stinging whip of satire. This meant that he had to abandon the one kind of humor that he had practiced throughout his life, which "alleviates the cruelty of life by provoking laughter," in favor of satire, which provokes instead a complex emotion described by Gilbert Highet in *The Anatomy of Satire* as being comprised of amusement, contempt, disgust and hatred, and whose effect is generally negative and destructive. This is precisely what Nušic felt, and he sustained a play based on moral judgment, whose range encompasses the grimace made upon seeing the incongruous aspects of the human condition as well as the roaring laughter that erupts upon the exposure of fraud.

Shortly before his death on January 19, 1938, Nušić wrote to Stevan Brakus, the manager of the National Theater in Sarajevo, about the Belgrade premiere of *The Deceased*: "My fate is strange. The Left will not recognize me as a writer, and say that I am a bourgeois blabbermouth, a trifler and nothing more; and the Right counts me among the Communists, and I — I am neither part of the Right nor of the Left. Perhaps that is my mistake."

Bad Blood, by Borisav Stanković	$19.95
The Deceased, by Branislav Nušić	$19.95
Fire and Nothing, by Branko Miljković	$17.95
Mansarda, by Danilo Kiš	$19.95
Knife, by Vuk Drašković	$24.95
Songs of the Sun, Love and Death, by Jovan Dučić	$14.95
Stone Lullaby, by Stevan Raičković	$14.95

These titles can be ordered directly from *The Serbian Classics Press*. Please include $5.00 for postage and handling (Priority USPS).

Name _____

Address _____

City _____ State _____

Zip Code or Postal Code _____ Country _____

Postage and Handling   _____

New York Residents
  Must add 8.25% sales tax   _____

Total   _____

The Serbian Classics Press
UPS Store #1052
PMB 199 Zeckendorf Towers
111 E. 14th Street
New York, NY 10003

Visit our website at: www.serbianclassics.com
e-mail: serbian_classics@yahoo.com